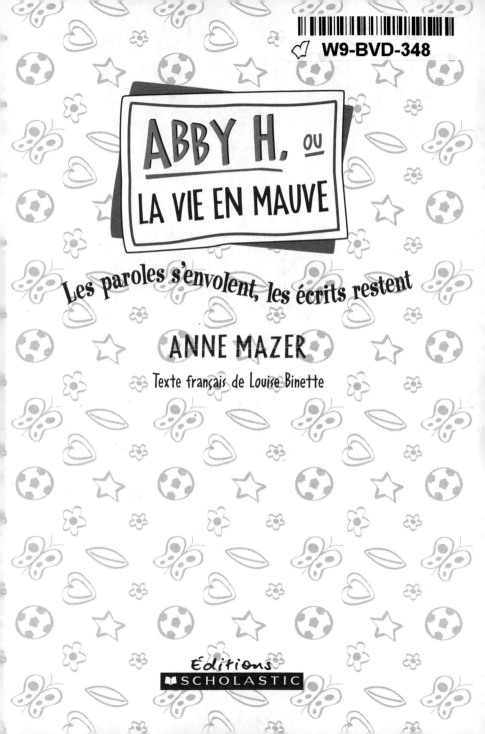

W9-BVD-348

ABBY H, ou
LA VIE EN MAUVE

Les paroles s'envolent, les écrits restent

ANNE MAZER

Texte français de Louise Binette

Éditions SCHOLASTIC

Pour Kate, à l'autre bout du fil du téléphone mauve!

Illustrations de la couverture et de l'intérieur : Monica Gesue
Conception graphique : Dawn Adelman

Catalogage avant publication de Bibliothèque
et Archives Canada

Mazer, Anne
Les paroles s'envolent, les écrits restent / Anne Mazer;
texte français de Louise Binette.

(Abby H. ou La vie en mauve)
Traduction de : The Pen is Mightier than the Sword.

Pour les 8-12 ans.

ISBN 0-439-95867-9

I. Binette, Louise II. Titre. III. Collection : Mazer,
Anne Abby H. ou La vie en mauve.

PZ23.M4499Pa 2005   j813'.54   C2004-907134-3

Copyright © Anne Mazer, 2001.
Copyright © Éditions Scholastic, 2005, pour le texte français.
Tous droits réservés.

Il est interdit de reproduire, d'enregistrer ou de diffuser en tout ou en partie
le présent ouvrage, par quelque procédé que ce soit, électronique, mécanique,
photographique, sonore, magnétique ou autre, sans avoir obtenu au préalable
l'autorisation écrite de l'éditeur. Pour toute information concernant les droits,
s'adresser à Scholastic Inc., 555 Broadway, New York, NY 10012.

Édition publiée par les Éditions Scholastic,
175 Hillmount Road, Markham (Ontario) L6C 1Z7.

5 4 3 2 1   Imprimé au Canada   05 06 07 08

Chapitre 1

Jeudi

Fais ce que tu voudras.

François Rabelais

**Calendrier des règlements
de l'école**

La semaine dernière, notre enseignante de création littéraire, Mme Élizabeth, a annoncé que notre classe de cinquième année allait publier un journal. Nous allons faire un remue-méninges aujourd'hui. Mais moi, je n'ai pas besoin de suggestions. Je sais déjà ce que j'aimerais faire :

Assurer la couverture d'événements importants à l'école.

Obtenir des entrevues exclusives.

Écrire des articles dont toute l'école parlera pendant des mois!

Devenir la journaliste-vedette!

Oui! Je ferai ce qui me plaît! Tout ce qui me plaît! Je le ferai! Je le ferai!

À l'avant de la classe de cinquième année, Mme Doris et Mme Élizabeth s'entretiennent à voix basse.

Les élèves terminent un contrôle de mathématiques. Abby Hayes lève les yeux en se demandant si les deux enseignantes discutent du journal. Peut-être que Mme Élizabeth la recommande comme journaliste-vedette à l'instant même! Elle secoue la tête. Elle ne peut pas deviner de quoi elles parlent et, de toute façon, ce n'est pas le moment de rêver au journal alors qu'elle a encore des fractions à calculer.

Abby efface une réponse erronée et recommence son calcul. À côté d'elle, sa meilleure amie, Jessica, a déjà terminé et griffonne sur la couverture de son cahier. Nathalie, son autre meilleure copine, fixe le plafond.

Mme Élizabeth fouille maintenant dans une pile de feuilles sur le bureau tandis que Mme Doris saisit une petite cloche. Un murmure de panique s'élève dans la classe.

— Deux minutes! annonce Mme Doris en faisant tinter la clochette. Si vous avez terminé, restez assis à votre place en silence. C'est à vous que je m'adresse, Zach et Tyler!

Mme Doris est l'enseignante titulaire de la cinquième année, alors que Mme Élizabeth y donne un cours une fois par semaine. C'est une jeune femme paraissant à peine plus âgée que les sœurs jumelles d'Abby, qui ont quatorze ans. Il y a quelques années seulement, Mme Élizabeth allait encore garder les enfants de Mme Doris. Et voilà qu'elle enseigne maintenant la création littéraire à ses élèves!

Abby se hâte de finir les quelques problèmes qui restent. Au moment où elle commence l'avant-dernier, Mme Doris agite la clochette de nouveau.

— Le temps est écoulé!

Abby dépose son stylo en soupirant. Elle a presque terminé, ce qui est très bien pour elle. Les maths lui causent toujours beaucoup de difficulté. En revanche, elle adore la création littéraire. Toute la semaine, elle attend avec impatience le cours de Mme Élizabeth.

Elle remet sa copie à Mme Doris et se dirige ensuite vers Mme Élizabeth.

— Oui, Abby? demande l'enseignante en souriant. Qu'est-ce que je peux faire pour toi aujourd'hui? As-tu écrit un roman au cours de la dernière semaine? Ou peut-être as-tu composé une pièce de théâtre?

— J'ai simplement rédigé mon journal, madame Élizabeth.

Abby repousse une boucle rousse qui tombe sur son visage.

— C'est merveilleux! l'encourage son enseignante.

— Mais je veux faire davantage, poursuit Abby. J'aimerais devenir journaliste pour le journal de la classe.

— Tu es naturellement douée pour l'écriture, approuve Mme Élizabeth.

— C'est vrai? Vous croyez que je pourrais être journaliste-vedette?

— Bien sûr, répond Mme Élizabeth en s'emparant d'une chemise posée sur la table. Tu réussirais n'importe quel travail de rédaction, Abby.

— Ouiiiii!

Abby jette un coup d'œil vers Nathalie et Jessica, et lève le pouce en signe de victoire.

Mme Élizabeth lui sourit encore une fois.

— Souviens-toi que les tâches feront l'objet d'un tirage au sort. C'est le hasard qui décidera. Espérons que c'est ton jour de chance.

Mme Doris tape dans ses mains pour obtenir l'attention des élèves.

— Le cours de création littéraire va bientôt commencer! Sortez vos cahiers.

Tandis qu'Abby regagne vite sa place, Mme Élizabeth s'avance devant la classe.

— Que trouve-t-on dans un journal? demande-t-elle. Quelqu'un le sait?

Brianna s'empresse de lever la main.

— Je veux être chroniqueuse mondaine! déclare-t-elle.

Comme d'habitude, elle semble sortie tout droit d'un magazine de mode pour adolescentes. Elle porte une robe courte à bretelles et des souliers à gros talons. Sa bouche luit, en raison du brillant à lèvres teinté qu'elle y a appliqué.

— Je ferai un reportage sur toutes les fêtes d'anniversaire d'élèves de cinquième année. Tout le monde saura qui sont les élèves les plus populaires. Comme moi!

— Ouais, Brianna! couine aussitôt sa meilleure amie, Béthanie.

Mme Élizabeth secoue la tête.

— Une chronique mondaine n'a pas sa place dans un journal étudiant, Brianna. Mais je suis contente que tu aies employé le mot « chroniqueuse ».

Elle prend un bout de craie et l'écrit au tableau.

— « Chroniqueur », ou « chroniqueuse », est un mot important dans le domaine journalistique. Quelqu'un peut-il nous dire ce qu'il signifie?

— C'est une personne qui rédige une chronique, répond Zach.

Lui et son meilleur ami, Tyler, sont reconnus dans toute la cinquième année comme de véritables passionnés d'ordinateur.

— Et une chronique, c'est…? demande Mme Élizabeth pour l'inciter à poursuivre.

— Un article de journal, répond Jessica.

Elle montre à la classe un croquis de la une d'un journal.

— Comme celui-là, dit-elle en désignant l'un des articles qu'elle a dessinés.

— Quel genre d'article? demande l'enseignante.

— Un reportage! lance Mason.

— Le compte rendu d'un événement, comme un accident ou un crime, dit Nathalie.

— Une opinion, ajoute Abby. Ce que les gens pensent.

— Vous avez tous raison.

Mme Élizabeth inscrit leurs réponses au tableau.

— Une chronique, c'est un article qui paraît régulièrement et qui est écrit par le même auteur. On trouve toutes sortes d'informations dans un journal, sous forme de faits ou d'opinions.

L'enseignante pose sa craie et s'époussette les mains.

— Pourquoi voulons-nous publier un journal dans notre école?

— Pour nous amuser! s'écrie Jessica.

— Pour devenir célèbre! dit Brianna.

— Pour utiliser les ordinateurs, déclarent Zach et Tyler en chœur.

— Pour dire aux autres élèves, genre, euh... ce qui se passe dans l'école, répond Mason, qui laisse ensuite échapper un rot bruyant.

— Quelle éloquence! chuchote Abby à l'oreille de Jessica.

— C'est exact, Mason. Nous souhaitons communiquer avec les autres et les renseigner sur certains événements.

Mme Élizabeth sourit à ses élèves.

— Nous les informerons de ce qui se passe et de ce que nous en pensons. Nous publierons le journal toutes les deux semaines et nous le distribuerons dans toute l'école.

La classe manifeste son enthousiasme.

— Nous développerons de nouvelles compétences en matière d'écriture, continue Mme Élizabeth. Nous allons apprendre des techniques d'entrevue, la façon de prendre des notes et d'effectuer une recherche, et bien d'autres choses encore. Par ailleurs, Mme Doris vous montrera comment mettre en page vos articles au moyen d'un logiciel d'éditique.

— Quand commençons-nous? demande Abby.

— Immédiatement.

De nouveau, l'enseignante se tourne vers le tableau.

— En gardant à l'esprit tout ce que nous venons de dire, faisons un remue-méninges pour déterminer ce que nous voulons dans notre journal.

— Des caricatures! s'écrie Mason.

— Des blagues, ajoute Jessica. Et des sports.

— De la science? propose Jonathan, un garçon tranquille et sérieux qui ne parle pas beaucoup.

Rachel lève la main.

— Des entrevues.

— Des recettes? suggère Tyler. Mon frère les découpe dans le journal.

— L'actualité! s'écrie Abby. Les projets scolaires!

Mme Élizabeth note toutes les suggestions au tableau.

— Très bien. Autre chose?

— On pourrait avoir un courrier du cœur, madame Élizabeth? demande Brianna. Les élèves qui ont des problèmes pourraient écrire pour demander conseil.

Elle jette un bref regard autour d'elle.

— Pas moi, bien sûr, ajoute-t-elle.

— Une chronique judiciaire? demande Nathalie d'un ton

plein d'espoir.

Elle adore lire des romans à énigme et se livrer à des expériences de chimie dans son sous-sol.

— Je voudrais être reporter judiciaire.

— Il n'y a pas beaucoup de crimes à l'école Lancaster, fait remarquer Jessica. À moins que tu veuilles écrire sur les buts volés durant les parties de baseball.

— Ou sur celui ou celle qui a pris les crayons dans la classe de maternelle, ajoute Abby.

— Nous ne retiendrons pas cette suggestion, Nathalie, dit Mme Élizabeth. Par contre, l'idée du courrier du cœur me plaît bien. C'est original, Brianna.

Abby fronce les sourcils. Elle s'en veut de ne pas y avoir songé!

Mme Élizabeth s'empare d'un chapeau sur une étagère.

— Allez, tout le monde, c'est l'heure de la loterie!

Les élèves s'animent.

— Inscrivez votre nom sur un petit bout de papier, dit Mme Élizabeth, et laissez-le tomber dans le chapeau lorsque je passerai près de votre pupitre.

Abby saisit son stylo mauve préféré. *Abby « Purple » Hayes*, écrit-elle en terminant par une fioriture. « Purple Hayes », c'est le surnom que lui a donné Mme Élizabeth en la voyant rédiger son journal mauve avec un stylo mauve! Elle plie le papier, ferme les yeux et souhaite ardemment que son vœu se réalise.

— Journaliste des projets scolaires, journaliste des projets scolaires, marmonne-t-elle.

C'est cette tâche qui pourrait faire d'elle une vedette.

« Je veux être la journaliste des projets scolaires! »

Elle respire à fond.

« Ou peut-être journaliste couvrant l'actualité! Ou même les sports! »

Chapitre 2

Mardi (toujours)

Ô le temps languissant!
Ô ces moments longs
comme des années!

John Keats

Calendrier des montres suisses

<u>Nouvelle-éclair! En direct de la classe
de cinquième année de Mme Élizabeth</u>

par Abby Hayes, future journaliste-vedette

Les moments sont longs comme des années tandis
que les élèves de cinquième année de Mme Doris
attendent que Mme Élizabeth procède au tirage au
sort. L'enseignante de création littéraire, habituellement
l'une des plus amicales et des plus sympathiques
parmi les enseignants de l'école Lancaster, met un
temps fou à s'installer! Elle n'a même pas encore
commencé le tirage!

Elle dresse d'abord la liste de tous les postes à
attribuer. Elle doit écrire chacun d'eux au tableau,
ce qui prend beaucoup de temps. Puis elle demande

aux élèves s'il manque quelque chose. Mason lui rappelle trois tâches qu'elle a oubliées. Ensuite, Mme Élizabeth tient un discours sur l'importance pour chacun de faire de son mieux. Elle explique que les élèves s'échangeront les tâches dans deux mois « afin que chacun puisse expérimenter plus d'un rôle ».

Un communiqué d'intérêt public de votre journaliste : Madame Élizabeth, s'il vous plaît, laissez tomber les explications et pigez les noms qui sont dans le chapeau!!!

Les élèves de cinquième année pourront s'inscrire dans le <u>Livre Hayes des records du monde</u> pour avoir fait preuve d'une patience angélique au cours d'une attente interminable.

C'est dur d'attendre! Et douloureux aussi. Le suspense me donne mal au ventre!

<u>Nouvelle de dernière heure!</u>

Par qui vous savez

Mme Élizabeth remue enfin les noms dans le chapeau! Hourra, madame Élizabeth! Hourra! Les élèves de cinquième serrent très fort leurs porte-clés fétiches, ils croisent les doigts et font un vœu! Soudain, sans

avertissement, l'enseignante de création littéraire pose le chapeau.

— J'allais oublier, dit-elle. Il faut trouver un nom à notre journal. Faisons-le tout de suite.

Toute la classe pousse un grognement. Il s'agit d'un profond grondement de désespoir et de frustration.

— Calmez-vous, dit Mme Élizabeth. Ça ne prendra que quelques minutes.

— Chut! dit Mme Doris.

Les deux enseignantes ne réalisent pas à quel point la classe est en émoi. Personne n'a envie de songer à des noms maintenant, mais les élèves, courageux, se rallient rapidement. Voici ce qu'ils proposent :

Jessica : <u>Quoi de neuf?</u>

Mason : <u>Nouvelles scolaires</u>

Béthanie : <u>Le fureteur</u> (étonnant que notre amoureuse des hamsters n'ait pas suggéré <u>Journal de bord d'un hamster enjoué</u>)

Rachel : <u>L'écho de Lancaster</u>

Zach : <u>Cyberjournal</u>

Brianna : <u>Le bulletin de cinquième année</u>

On procède au vote. Le gagnant est <u>L'écho de Lancaster</u>! Bravo! Mme Élizabeth va maintenant tirer des noms du chapeau! La classe trépigne d'impatience.

<u>Un autre vous savez quoi par qui vous savez</u>

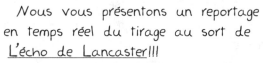

Nous vous présentons un reportage en temps réel du tirage au sort de <u>L'écho de Lancaster</u>!!!

L'excitation est à son comble dans la classe de cinquième année. Mme Élizabeth tire le premier nom du chapeau. Cette personne couvrira les sports. C'est Mason!

Il pousse un grand cri de joie.

Mme Doris porte un doigt à ses lèvres en guise d'avertissement.

C'est au tour du journaliste scientifique. Le nom de Béthanie est pigé. Elle paraît déconcertée pendant un moment. Elle n'aime pas les sciences. Tout à coup, son visage s'éclaire.

— J'écrirai sur les animaux! déclare-t-elle. (C'est l'élève de cinquième année qui a le plus de chances de devenir vétérinaire.)

La photographe de <u>L'écho de Lancaster</u> est Nathalie. Elle semble déçue.

— J'espérais être reporter judiciaire, murmure-t-elle.

Elle retrouve le sourire lorsque Mme Élizabeth lui suggère de développer ses photographies elle-même.

— Des produits chimiques! dit Nathalie d'un ton enjoué. J'aime les chambres noires.

Le tirage au sort se poursuit. Jessica s'occupera de la conception et de la mise en pages. Elle est ravie.

— Je ne voulais pas être journaliste, confie-t-elle à Abby tout bas.

Rachel hérite de la chronique des blagues, Zach, des caricatures, tandis que Jonathan sera le journaliste des projets scolaires. Abby H. est un peu déçue. Elle souhaitait obtenir ce poste. Mais il reste encore plusieurs tâches très chouettes à assigner. (C'est comme ça que les décrit Mme Élizabeth; pourquoi n'y aurait-il pas de tâches pinsons, moineaux ou corneilles?)

Mme Élizabeth tire le nom de l'élève qui se chargera des entrevues de type portrait avec des personnes du milieu scolaire. Abby H. retient son souffle. Mme Élizabeth déplie le bout de papier.

— Félicitations, Brianna! dit-elle.

Brianna est sûrement née sous une bonne étoile. Ou peut-être que ses parents lui en ont acheté une.

– J'ai déjà choisi un nom pour ma chronique : « Les chroniques de Brianna ».

– Ouais, Brianna! glapit Béthanie. Ouais, les chroniques de Brianna!

Est-ce que Brianna va s'interviewer elle-même? Encore et encore et encore?

Abby H. soupire. Heureusement, il reste encore des postes chouettes.

Interruption

Nous interrompons cette nouvelle-éclair par une autre nouvelle-éclair!

Votre journaliste est tellement occupée à noter les tâches chouettes de chacun qu'elle n'entend pas la sienne!

Ce n'est que lorsque ses amis commencent à la féliciter qu'elle se rend compte qu'elle l'a manquée.

Nathalie lève le pouce en signe d'approbation. Béthanie sourit.

Mme Élizabeth a l'air contente. Mme Doris applaudit.

Est-ce qu'Abby H. couvrira l'actualité? A-t-elle décroché le poste de ses rêves? Ou a-t-elle hérité d'une besogne désagréable?

— Jessica! Qu'est-ce que j'ai eu? chuchote-t-elle.

— Le courrier du cœur, répond sa meilleure amie tout bas. Tu seras celle à qui nous adresserons tous nos problèmes, notre « chère Abby ».

Chapitre 3

Vendredi

On ne donne rien
si libéralement
que ses conseils.

Duc de la Rochefoucauld
Calendrier des écrous et boulons

Ah oui? <u>Vraiment???</u> Je ne donne des conseils que lorsque je <u>dois</u> le faire!

<u>Six raisons qui m'empêchent de répondre
au courrier du cœur du journal étudiant</u>

1. Je n'ai que 10 ans. (Mais c'est le cas de tout le monde dans la classe.)

2. Je n'ai pas beaucoup d'expérience.

3. Qu'est-ce que je suis censée dire quand les élèves me confient leurs problèmes?

4. C'était l'idée de Brianna; pourquoi ne le fait-elle pas, elle?

5. Je ferais de meilleures entrevues que Brianna.

6. <u>Je ne veux pas le faire!!!</u>

La plupart des élèves sont satisfaits de leur poste. Jonathan a l'intention d'écrire sur le recyclage à l'école. Rachel recueille des blagues commençant par : « Toc, toc! Qui est là? ». Meghan rédigera un article sur les nouveaux modules de jeu dans la cour de récréation.

Béthanie projette de faire une étude scientifique sur les hamsters. Est-ce qu'elle va interviewer Blondie, son hamster? Voici ce que ça pourrait donner :

Béthanie : Depuis combien de temps vivez-vous dans cette cage?

Blondie : Couic.

Béthanie : Fascinant. Vous dites que votre passe-temps favori est de tourner dans cette roue?

Blondie : Couic.

Béthanie : De quoi vous nourrissez-vous?

Blondie : Couic.

Béthanie : Vous êtes étonnamment intelligente, n'est-ce pas?

Blondie : Couic.

Brianna a annoncé qu'elle consacrera toutes les « Chroniques de Brianna » aux enseignants de l'école Lancaster.

— Les enseignants ont vraiment besoin de notre appréciation, a-t-elle dit avec un geste gracieux. Sinon, ils ne sont pas appréciés.

Mme Doris et Mme Élizabeth ont souri. Elles n'ont pas remarqué que la phrase de Brianna s'annulait.

Béthanie pourra interviewer son hamster et Brianna a déjà donné son prénom à sa chronique. Meghan et Jonathan auront l'occasion d'écrire des articles importants. Alors que moi, je dois résoudre les problèmes des autres!

Ce n'est pas juste!!! Tout le monde est content du résultat du tirage au sort, sauf moi!

<u>Ce que mes amis et mes enseignantes m'ont dit</u>

— Tu peux le faire! (Jessica)

— Je vais te photographier. (Nathalie)

— Grâce à ton talent pour l'écriture, tu peux relever n'importe quel défi. (Mme Élizabeth)

— Nous avons la bonne personne pour ce genre de travail. (Mme Doris)

— C'est super, Abby! (Zach)

Je commençais presque à m'habituer à l'idée de répondre au courrier du cœur lorsque Mason m'a interpellée :

– Comment vas-tu appeler ta chronique?

Avant même que j'aie pu songer à une réponse, il a lancé :

– « Chère Abby »!

Ça ne m'avait pas dérangée venant de Jessica. Mais il faut dire qu'elle ne l'avait pas crié devant toute la classe.

Quand Mason a dit ça, tout le monde a ri! (Sauf moi.) Le reste de la journée, mes camarades de classe m'ont appelée « chère Abby ».

Je ne suis pas « chère Abby ». Je n'ai pas assez de connaissances pour conseiller qui que ce soit!

Pourquoi est-ce que j'ai hérité de cette tâche???

Abby esquisse quelques fioritures en écrivant les derniers mots. Elle ferme son journal et regarde l'horloge. C'est l'heure de se préparer pour l'école. Elle se lève et jette un coup d'œil dans le miroir.

Comme d'habitude, sa tignasse rousse frisée est emmêlée et rebelle. Peu importe la fréquence des brossages et des lissages, ses cheveux refusent de se laisser discipliner. Comment peut-elle espérer régler les problèmes des autres quand elle n'arrive même pas à maîtriser sa chevelure?

Elle ouvre le tiroir où elle range secrètement ses boucles d'oreilles.

— Chère courriériste, dit-elle à haute voix. J'ai 10 ans et

mes parents ne veulent pas que je me fasse percer les oreilles.

Que répondrait la chroniqueuse? Probablement de tirer le meilleur parti de cette situation désespérée. C'est le genre de conseil que donnent les parents.

Abby referme le tiroir d'un geste brusque. Elle contemple pendant un moment les calendriers qui couvrent les murs. Ils sont une source d'inspiration quotidienne pour elle. Quand Abby a besoin d'un conseil, elle lit ses calendriers. Pourra-t-elle les consulter aussi pour son courrier du cœur?

En secouant la tête, elle prend son sac à dos et se dirige vers la chambre d'Isabelle pour voir T-Jeff avant de partir pour l'école.

T-Jeff est leur chaton, à Isabelle et à elle. Son vrai nom est Thomas Jefferson. Ce n'est pas Abby qui l'a choisi, bien sûr.

— Chère courriériste, dit-elle de nouveau. Ma sœur Isabelle, qui est passionnée d'histoire, insiste pour appeler notre chaton Thomas Jefferson. Je ne peux pas protester parce qu'elle m'aide à en prendre soin.

« Thomas Jefferson, c'est bien trop long pour un petit chat gris aux yeux bleus », pense Abby. Elle espère que ce nom lui conviendra mieux lorsqu'il sera plus gros.

Elle frappe à la porte de la chambre d'Isabelle.

— Entrez! dit sa sœur.

Isabelle est assise à son bureau, occupée à lire. Elle porte une jupe en velours or, un haut en dentelle et de longs pendants d'oreilles. Ses ongles sont fraîchement vernis de bleu et de doré.

— Je viens de terminer mes devoirs des deux prochaines semaines, dit Isabelle d'un air satisfait. Qu'est-ce qu'il y a?

— Je suis venue voir T-Jeff, dit Abby.

— Il est sous le lit.

Isabelle retourne à la lecture de son manuel.

Abby s'accroupit.

— Chaton! Chaton! appelle-t-elle. T-Jeff!

— Miaou! répond le petit chat.

Il bondit sur un flocon de poussière. Après lui avoir livré bataille pendant un instant, il trottine vers Abby.

— C'est un flocon de poussière, gros bêta.

Abby le gratte sous le menton. T-Jeff se met à ronronner.

— As-tu déjà été chroniqueuse d'un courrier du cœur? demande Abby à sa sœur aînée.

— Non, répond Isabelle. Pourquoi?

— Je suis la courriériste de notre journal étudiant.

— C'est facile. Tu n'as qu'à répondre aux questions que les gens t'envoient, dit Isabelle en soufflant sur ses ongles. C'est un jeu d'enfant.

— Et s'ils n'écrivent pas? Si personne n'a besoin de conseils?

Abby prend une grande respiration.

— Et pire encore, si je ne peux pas les aider?

— Bien sûr que tu le peux! dit Isabelle. Pourquoi pas?

Elle examine ses ongles encore une fois, puis elle ferme

son manuel.

— Tout le monde a toujours besoin de conseils! La preuve, tu me demandes conseil en ce moment même.

Abby prend T-Jeff et le porte jusque sur le lit.

— C'est ça, le problème. Comment puis-je donner des conseils alors que c'est moi qui en ai besoin?

— Tu es plus raisonnable que tu ne le penses, dit Isabelle.

— C'est facile pour toi de dire ça, dit Abby en fronçant les sourcils. Tu as toujours réponse à tout.

— Ce n'est pas vrai.

— Je ne te crois pas.

Abby dresse mentalement la liste de tous les exploits de sa super-grande-sœur : elle est présidente de classe, première de classe et championne des débats oratoires. Elle fait du théâtre, connaît tout sur l'histoire et adore faire des recherches dans Internet. Elle est également championne du monde en titre dans l'art du manucure.

Isabelle regarde l'heure.

— Il est tard. Allons déjeuner. On ne doit pas aller à l'école l'estomac vide.

— Tu vois? Tu sais toujours ce qu'il faut faire.

Abby caresse T-Jeff une dernière fois avant de le poser sur le plancher.

— Ne t'inquiète pas tant, Abby. Aie confiance en toi. Tu t'en tireras très bien!

— Tu vois que j'avais raison, lui fait remarquer Abby.

Isabelle roule les yeux.

Abby suit sa sœur aînée dans l'escalier.

— C'est plus fort que toi, Isabelle, insiste-t-elle. Tu es naturellement douée pour donner des conseils. Comme d'autres le sont pour le soccer, le jeu ou les mathématiques.

— Et moi qui croyais que j'étais seulement autoritaire, dit sa sœur à la blague.

— Oui! crie Éva, la jumelle d'Isabelle, du haut de l'escalier. Tu l'es!

— Celui qui le dit, celui qui l'est! réplique Isabelle.

Comme des charges opposées, Éva et elle provoquent souvent des explosions.

— Isabelle! s'écrie soudain Abby.

La solution à tous ses problèmes était là, juste sous son nez. Pourquoi n'y a-t-elle pas pensé avant?

Sa sœur reporte son regard sur elle.

— Qu'est-ce qu'il y a, Abby?

— Tu peux répondre au courrier du cœur à ma place!

Chapitre 4

Ce n'est pas qu'ils ne puissent pas voir la solution; c'est qu'ils ne peuvent pas voir le problème.

G.K. Chesterton

Calendrier des noix et baies

Ce qui s'est passé hier après que j'ai demandé à Isabelle d'écrire la chronique à ma place

Isabelle a ri comme une folle durant environ 10 minutes, après quoi elle s'est essuyé les yeux et a dit :

— Oublie ça.

— Pourquoi tu ne veux pas m'aider? ai-je demandé.

— Voyons, Abby, a répondu Isabelle. Tu es un as de l'écriture! Tu as récrit la pièce de théâtre de l'école, n'est-ce pas? Et tu as publié un article dans un vrai journal! Pourquoi veux-tu que je rédige ton devoir de création littéraire? Tu le feras mieux que moi. Et de toute façon, a-t-elle conclu, « Chère Abby », ça sonne beaucoup mieux que « Chère Isabelle ».

Je lui ai jeté un regard mauvais.

— Tu peux le faire, a ajouté ma sœur. Tu n'as rien à craindre, sauf la peur elle-même.

C'est faux! Il y a bien des choses qui me font peur : par exemple, entendre des blagues sur « Chère Abby » pour le reste de ma vie. Si ça continue, je vais changer de nom. Ou me faire appeler Abigail.

Nooooon! N'importe quoi, mais pas Abigail!

— Je ne le ferai pas! ai-je dit.

Isabelle a secoué la tête.

— Comment peux-tu décevoir ton enseignante préférée?

Elle avait encore raison. Je ne peux pas décevoir Mme Élizabeth. Celle-ci est convaincue que je peux faire du bon travail. Je dois écrire cette chronique.

Résolutions

Tirer le maximum de cette expérience.

Ne pas me plaindre. (Du moins, pas trop.)

Trouver un nom pour ma chronique. (PAS « Chère Abby ».)

Noms pour ma chronique

Les conseils d'Abby

L'avis d'Abby

Le courrier du cœur d'Abigail Hayes

Abby à la rescousse

Conseils d'amie

Chère A.H.

Hé, toi!

Courrier du cœur

À qui de droit

Les admonitions d'Abby (Ce mot signifie « avertissement ».)

Nouvelle-éclair! Par votre journaliste-vedette secrète, Abby H.

La journaliste-vedette secrète est découragée. Elle est bien prête à s'acquitter de sa tâche le mieux possible, mais elle ne peut rien faire tant qu'on ne lui pose pas de questions. Pour une fois dans sa vie, elle aimerait être Brianna.

Hier, Brianna a demandé une entrevue à la directrice, Mme Dominique, ainsi qu'à l'enseignant d'éducation physique, M. Steve, et à l'enseignante de création littéraire, Mme Élizabeth.

Brianna a décidé de ne pas utiliser « Les chroniques de Brianna » comme titre. Elle a opté pour « Conversations avec Brianna ».

Est-ce qu'elle servira du thé et des biscuits maison pendant ses « conversations »? Est-ce qu'une équipe de tournage les filmera? Est-ce qu'elle vendra la transcription de ses entrevues cinq dollars chacune, plus les frais de port et de manutention?

La journaliste-vedette secrète est en train de se transformer en journaliste-vedette frustrée. Abby H. a besoin de conseils pour retrouver son calme. Elle va aller trouver son père. Il l'aide toujours quand elle a un problème.

Plus tard : Papa était au téléphone. Je l'ai entendu prononcer les mots « besoin » et « aide ».

(Mon frère m'aide à faire mes devoirs de maths. J'aide à faire la vaisselle. J'ai tenté de convaincre Isabelle de m'aider à écrire ma chronique! Est-ce qu'on n'a pas tous besoin d'aide? De quoi papa parlait-il???)

Papa n'a pas voulu m'expliquer de quoi il était question. Il avait la mine sombre. Il m'a fait signe de m'en aller d'un geste de la main.

— Qu'est-ce qu'il y a, papa? ai-je demandé.

Il semblait avoir davantage besoin d'aide que moi. C'était peut-être ma chance de donner un véritable conseil, en personne.

— Tu ne vois pas que je suis occupé? a dit mon père d'un ton irrité.

Je suis sortie de son bureau sur la pointe des pieds. Papa n'a pas l'habitude d'être maussade. J'espère que ce n'est rien. J'aurais voulu qu'il me laisse le conseiller. Comment vais-je apprendre si je n'ai pas l'occasion de m'exercer?

Chapitre 5

Samedi (toujours)

Les chats mangent-ils les chauves-souris? Les chauves-souris mangent-elles les chats?

Lewis Carroll

Calendrier des greniers

Abby à la rescousse? Ou à la rescousse d'Abby? Est-ce que « Abby à la rescousse » ferait un bon titre pour mon courrier du cœur? Ou devrais-je choisir « Chère A.H. »? Est-ce que c'est une bonne question pour mon courrier du cœur?

Abby s'affale sur son lit. Elle s'allonge sur le dos et fixe le plafond. Pour la première fois, elle remarque que c'est le seul endroit dans sa chambre où il n'y a aucun calendrier. L'espace semble étrangement vide.

Abby bondit sur ses pieds et parcourt la pièce en étudiant les murs.

Le calendrier des ampoules et celui des ciels étoilés : ces deux-là feraient parfaitement l'affaire. Elle les décroche.

Mais comment va-t-elle pouvoir les mettre au plafond?
Il lui faudra un escabeau, un marteau, des clous, du ruban
adhésif...

En bas, on sonne à la porte.

— Abby! crie son petit frère, Alex. C'est pour toi!

— J'arrive!

Abby descend après avoir refermé la porte derrière elle
pour éviter que T-Jeff sorte de sa chambre.

Nathalie et Béthanie se trouvent dans l'entrée. Nathalie
a son appareil photo à l'épaule. Béthanie tient un cahier de
notes dont la couverture est illustrée de photos de hamsters.

— Devine ce qu'on fait! demande Béthanie.

— Je vais prendre des photos des nouveaux modules de
jeu de l'école pour le journal, dit Nathalie.

Elle fronce les sourcils.

— J'espère trouver un crime à signaler, même si ce n'est
pas mon travail.

— Moi, je recueille des anecdotes sur les hamsters pour
ma chronique scientifique, dit Béthanie.

Quand Brianna n'est pas dans les parages, Béthanie est
une personne différente. Elle est amicale et d'agréable
compagnie.

— Tu veux venir avec nous? ajoute-t-elle.

— Eh bien... hésite Abby. Je suis en train d'accrocher
des calendriers. J'allais justement chercher un escabeau.

— Tu iras plus tard, insiste Nathalie. Viens plutôt avec
nous.

— Vous amassez du matériel pour le journal, dit Abby. Mais moi? Je ne peux pas faire de porte-à-porte pour recueillir des problèmes!

— Si Béthanie ou moi avons des ennuis, tu nous aideras, dit Nathalie. Tu seras notre courriériste sur le terrain.

Abby fait non de la tête.

— Tu as l'une des tâches les plus intéressantes, Abby, dit Béthanie.

— Moi? Tu parles sérieusement? Pourquoi dis-tu ça?

— C'était l'idée de Brianna et elle a toujours des idées géniales, explique Béthanie.

— Oh! fait Abby.

Elle aurait souhaité que Béthanie trouve une raison plus convaincante.

— C'est vrai! s'exclame Nathalie. Quand les gens écoutent-ils les enfants de 10 ans? Lorsque tu rédigeras le courrier du cœur, par contre, ils voudront connaître ton avis. Tu pourras leur dicter leur conduite.

— Tout le monde te respectera, ajoute Béthanie.

— Tu découvriras les pensées secrètes des gens!

Nathalie baisse le ton.

— Quelqu'un confessera peut-être un crime.

— Je te raconterai tout pour que tu fasses enquête, promet Abby.

Elle prend son journal et le glisse dans la poche de son manteau.

Elle n'avait jamais considéré le courrier du cœur sous cet angle-là. Peut-être que c'est une tâche convenable, après tout. Peut-être même plus que convenable.

Une demi-heure plus tard, Abby et Nathalie se trouvent dans la cour de récréation.

— Où devrais-je me placer pour prendre cette photo? demande Nathalie.

Elle pousse un soupir.

— J'aimerais être déjà dans la chambre noire.

— De là, répond Abby en désignant le grillage qui entoure l'école Lancaster.

Nathalie se couche sur le ventre et rampe à travers une ouverture dans les buissons, aboutissant près du grillage. Elle met au point, puis appuie sur l'obturateur.

— C'est fait, dit-elle.

Nathalie a déjà utilisé tout un rouleau de pellicule. Sur les conseils d'Abby, elle a pris des photos allongée sur le ventre, juchée dans un arbre et à travers les barreaux d'une cage à grimper.

— Je me demande comment Béthanie se tire d'affaire, dit Nathalie en émergeant des buissons.

Elle a une égratignure au visage et les mains sales.

— Elle est aux anges quand il est question de hamsters, dit Abby. La dernière fois que je l'ai aperçue, elle recueillait les anecdotes d'un groupe d'enfants.

Nathalie appuie sur le bouton de rembobinage de son appareil photo.

— C'est mon deuxième rouleau. Heureusement que j'en ai apporté plusieurs.

— J'ai hâte de voir comment seront tes photos! dit Abby.

Nathalie fait la grimace.

— Et si elles sont floues? Ou mal composées? Ou mauvaises, tout simplement?

— Elles seront réussies!

— Pour toi, c'est facile à dire, commence Nathalie.

— Abby! Nathalie! s'écrie Béthanie.

Elle accourt vers ses amies, agitant des feuilles de papier dans les airs. Son visage rayonne.

— Devinez quoi! J'ai recueilli huit différentes anecdotes! Toutes sur les hamsters!

— Ça alors! dit Nathalie.

— Est-ce que ça suffira pour ma chronique? demande Béthanie. Est-ce qu'il m'en faut plus? Ou moins?

Abby réfléchit pendant un instant.

— Je prendrais les trois ou quatre meilleures. Ça ennuiera les lecteurs s'il y a trop d'anecdotes sur les hamsters.

— Tu crois? demande Béthanie.

— Suis le conseil d'Abby, lui dit Nathalie. Elle s'y connaît en écriture.

— Conseil? répète lentement Abby. Tu as bien dit conseil?

Nathalie acquiesce.

— Excusez-moi, dit Abby à ses amies. J'ai quelque chose d'important à faire.

Elle s'assoit sur un banc et sort son journal.

Je viens juste de donner un conseil! <u>HOURRA!!!</u> C'était facile. Béthanie m'a approuvée. Nathalie aussi.

J'ai également conseillé Nathalie à propos de l'endroit d'où elle devait prendre ses photos.

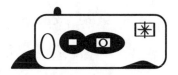

Savez-vous ce que ça veut dire? Ça veut dire que je peux le faire. Je peux le faire. Et je vais avoir du plaisir à le faire! (À répéter 100 fois chaque jour, avant le déjeuner, le dîner et le souper.)

Mais si on me demande conseil sur des sujets sérieux? Qu'est-ce que je ferai, alors? (Ouaaaaah! maman!)

Quand j'écris à grand-maman Emma, je lui demande tout le temps conseil. Dans sa réponse, elle sait toujours ce qu'il faut dire.

<u>Résolution</u>

Quand je réponds à un problème sérieux,

m'imaginer que je suis une grand-mère sage, gentille et aimante. (Est-ce que je peux m'imaginer avec des cheveux blancs frisés? Ou collectionnant des salières et des poivrières? Euh... peut-être pas.)

Non, je serai plutôt une fille de 10 ans qui parle beaucoup et aime écrire.

Autre résolution

Je dois me préparer pour ce rôle très important!

Encore d'autres résolutions

Lire les courriers du cœur quotidiennement pour m'inspirer.

Consulter les livres de croissance personnelle à la bibliothèque.

Acquérir la sagesse des aînés. (Question : Est-ce que ça fonctionnera avec moi qui suis la cadette?)

Rafraîchir mes notions de correspondance. Écrire à grand-maman Emma plus souvent.

Je peux le faire. Je peux le faire. Je peux le faire.

Mon devoir de création littéraire est la plus chouette des tâches!

Je serai « Abby à la rescousse ».

Je courrai à la rescousse de Brianna pour lui

montrer comment mener une entrevue. Je viendrai
à la rescousse de Béthanie qui répète constamment
« Ouais, Brianna! » et à celle de Mme Dominique
pour l'aider à diriger l'école. Je...

INTERRUPTION!

Nathalie et Béthanie s'en vont chez Béthanie
pour prendre des photos d'elle avec son hamster,
Blondie. Moi, je rentre. Mes amies ont maintenant
des photos et des anecdotes pour L'écho de
Lancaster. Et moi, qu'est-ce que j'ai?

Progression des préparatifs pour le courrier du
cœur d'Abby

1. Nom trouvé

2. Craintes apaisées

3. Enthousiasme gagné

Je peux le faire. Je peux le faire. Je peux le
faire. Je m'amuserai à le faire. HOURRA!!!

Chapitre 6

Mardi

Rien n'étonne plus
les hommes que le bon sens.

Ralph Waldo Emerson

Calendrier du bicarbonate de soude

Isabelle m'a dit ça la semaine dernière. Est-ce que Ralph Waldo Emerson l'a plagiée?

Je ne crois pas. Selon le calendrier, il a vécu il y a plus de cent ans. S'il allait à l'école de nos jours, tout le monde se moquerait de son nom. Il serait obligé d'appeler Abby à la rescousse pour lui demander conseil!

Hier, je me suis adressée à la classe. J'ai montré à tout le monde une boîte à chaussures que j'ai recouverte de papier mauve.

– Voici la boîte aux lettres pour « Abby à la rescousse », ai-je annoncé.

Je vais la placer dans le vestiaire. Vous pourrez y déposer vos questions sans que personne le sache! Vous pouvez m'écrire en toute confidence! Envoyez-moi vos questions et parlez-moi de vos problèmes. S'il vous plaît!

À mon arrivée à l'école ce matin, la boîte aux lettres débordait. Hourra! Hourra! Hourra! Je suis impatiente de lire toutes ces questions! J'espère que je serai à la hauteur et que je pourrai répondre à toutes.

Alors que les élèves de cinquième année traversent le corridor à la file pour se rendre au local d'arts plastiques, Nathalie prend quelques photos avec son appareil.

— Tu n'as pas déjà assez de photos? demande Rachel.

— Non, répond Nathalie. Et si aucune n'était réussie?

Elle photographie Mason qui fait semblant de frapper Zach sur la tête avec son manuel de mathématiques.

— Nathalie! On ne prépare pas un numéro du *Paris Match*! s'écrie Jessica. C'est seulement un journal étudiant!

Nathalie ne dit rien. Elle oriente son appareil photo vers une fontaine.

— « Conversations avec Brianna » apparaîtra à la une, se vante Brianna.

Elle consulte sa montre.

— Plus que 45 minutes avant mon entrevue avec

Mme Dominique. Elle doit être excitée.

— Ouais, Brianna! gazouille Béthanie.

— Je ne sais pas comment tu fais pour supporter ça, marmonne Jessica à Abby. Si j'entends un autre « Ouais, Brianna! »...

— Béthanie est très gentille quand Brianna n'est pas dans les parages, lui souffle Abby. Fais comme si de rien n'était. Voilà mon conseil. Ou écris à « Abby à la rescousse » pour un avis professionnel.

Jessica roule les yeux.

— J'appelle Abby à la rescousse, lance Zach pour la taquiner. S'il te plaît, explique-moi comment installer le nouveau système d'exploitation sur mon ordinateur.

— Je réponds aux questions personnelles, précise Abby. Je n'offre pas de soutien technique.

— Ah! fait Zach. C'est pourtant un ordinateur personnel que j'ai!

Dans le local d'arts plastiques, le nouvel enseignant les attend derrière son bureau. M. Raphaël est le remplaçant de Mme Sophie, leur enseignante habituelle, qui est partie deux semaines auparavant. Elle va bientôt avoir un bébé.

— Qu'est-ce qu'on fait aujourd'hui? demande Mason.

— De l'aquarelle, répond M. Raphaël. Assoyez-vous à vos places et attendez en silence que tout le monde soit là.

Nathalie prend une photo de Tyler.

M. Raphaël désapprouve d'un signe de tête.

— C'est un local d'arts plastiques ici, pas un studio de

photographie, lui dit-il. Range cet appareil photo!

— Pourquoi ne peut-elle pas prendre de photos? demande Abby. Le cours n'est pas encore commencé.

— Silence! dit M. Raphaël en faisant les gros yeux à Abby. Tout le monde doit respecter les règles!

Abby s'assoit à sa place. Elle prend son journal et l'ouvre sur ses genoux.

J'aurais préféré que Mme Sophie continue à nous enseigner les arts. Avant, j'adorais les cours d'arts; maintenant, je les déteste. C'est que M. Raphaël est trop sévère. Les travaux qu'il nous donne sont ennuyeux. Nous devons dessiner des pommes, des bananes et des oranges. Pourquoi pas des ananas pour changer un peu?

Mme Sophie aura son bébé dans les prochaines semaines. Je me demande si ce sera un garçon ou une fille. Est-ce qu'elle aura besoin de conseils sur la façon de s'en occuper? Ou encore de suggestions de prénoms? Voilà de bonnes raisons d'appeler Abby à la rescousse! Mme Sophie a promis à notre classe qu'elle viendrait nous présenter le bébé. Nathalie pourra prendre sa photo et la publier dans le journal étudiant.

Abby ferme son journal. M. Raphaël n'a pas remarqué qu'elle écrivait. La règle dit de ne pas parler, et non de ne pas écrire, mais elle préfère ne pas courir le risque. M. Raphaël dirait probablement :

— C'est un cours d'arts, pas un séminaire d'écriture.

Il entreprend de distribuer du papier crème épais et des boîtes de couleurs à l'eau.

— Aujourd'hui, nous allons étudier une nature morte, annonce-t-il en désignant une table à l'avant de la classe.

Il y a des roses artificielles dans un vase et des raisins en plastique sur la table.

— Prêtez attention aux zones sombres et claires, ajoute M. Raphaël. Observez attentivement les ombres.

— Est-ce qu'il ne pourrait pas utiliser de vraies fleurs, au moins? chuchote Jessica.

— Silence! ordonne l'enseignant.

Les élèves contemplent la nature morte.

— S'il n'y a pas de questions, vous pouvez vous mettre au travail.

Abby jette un coup d'œil aux fleurs et aux fruits en plastique. Elle trempe son pinceau dans l'eau, puis le fait glisser sur une pastille.

— Utilisez toute la page, dit M. Raphaël. Ne faites pas un petit dessin dans un coin.

À l'aide de son pinceau, Abby esquisse un vase qui remplit la feuille. De gros raisins violets sont disposés à sa base.

— C'est ça! dit M. Raphaël.

Il circule de table en table, vérifiant le travail de chacun.

— J'ai terminé! dit Nathalie en élevant son aquarelle.

Les roses sont énormes et dégoulinantes.

— Est-ce que je peux prendre des photos des œuvres de chacun?

— Non! répond l'enseignant.

M. Raphaël tend à Nathalie une autre feuille de papier pour aquarelle.

— Installe-toi de l'autre côté du local et peins la nature morte d'un autre angle.

De nouveau, Abby ouvre son journal en cachette.

Pauvre Nathalie! Maintenant, elle doit faire deux natures mortes! Et pourquoi appelle-t-on ça des « natures mortes »? Elles n'ont rien de naturel; elles sont en plastique!

Je ne dirai pas à M. Raphaël que j'ai terminé mon aquarelle parce qu'il m'en fera peindre une autre. Je vais plutôt lire les questions adressées à « Abby à la rescousse »!

Abby respire à fond, puis elle prend une question dans son cahier et la fait glisser sur ses genoux. Elle déplie la note.

« Chère Abby à la rescousse », lit-elle.

« Comment enlève-t-on de la gomme à bulles sur un t-shirt?
Je colle... oups, je compte sur toi! Gommette »

Zut! C'est la première question qu'on lui pose et elle n'a
pas la moindre idée de ce qu'elle doit répondre! Comment
enlever de la gomme à mâcher sur un t-shirt? Voilà une
question pour sa mère, ou peut-être pour son père, qui fait
la lessive. Elle met le billet de côté et en déplie un deuxième.

« Abby, au secours!
J'ai un lourd et grave secret. Je suis invitée à un souper-
pizza et je suis allergique à la pizza. Personne ne le sait.
Je suis trop embarrassée pour le dire à qui que ce soit!
Qu'est-ce que je peux faire???
Rouge comme une tomate »

Voilà un vrai problème! Sera-t-elle à la hauteur? Abby
ferme les yeux et tente de s'imaginer qu'elle est grand-
maman Emma, prodiguant des conseils sages et bienveillants.
« Je suis une grand-mère âgée de 10 ans, se dit-elle, et
j'aide mes camarades de classe à résoudre leurs problèmes
personnels. »
— Abby Hayes! Qu'est-ce que tu fais?
Abby sursaute et ouvre les yeux. Le visage de M. Raphaël
se trouve juste au-dessus du sien. Elle rougit et baisse la tête
pour fixer ses mains, qui cachent le bout de papier.

— Euh... je pense à ma prochaine couleur, monsieur Raphaël.

— Remets-toi au travail, dit-il sèchement.

Abby pousse un long soupir de soulagement. Il s'en est fallu de peu! Et s'il avait vu la question de Rouge comme une tomate? S'il l'avait lue devant toute la classe? S'il l'avait déchirée?

Elle regarde la question encore une fois. Ce n'est pas une bonne idée de se prendre pour grand-maman Emma pendant le cours de M. Raphaël. Devrait-elle plutôt s'imaginer dans la peau de quelqu'un d'autre? Sa mère, offrant des conseils juridiques coûteux? Isabelle, exposant des faits?

Au moment où M. Raphaël s'avance de nouveau dans l'allée, Abby saisit vite un pinceau et dessine d'autres raisins sur une feuille de papier vierge. Cette fois, elle utilise du bleu.

— C'est ça, dit-il en passant près d'elle.

Elle pose son pinceau et étudie la question encore une fois. Elle ne veut pas rater son coup. C'est une question sérieuse. Elle se demande qui organise ce souper-pizza. Est-ce que Rouge comme une tomate est l'une de ses amies? Elle prend un stylo et rédige rapidement une réponse.

Chère Rouge comme une tomate,

Fais semblant de t'évanouir quand on livrera la pizza et reviens à toi quand il n'en restera plus. Personne ne soupçonnera quoi que ce soit.

Abby songe à ce qu'elle a écrit. Pendant combien de temps Rouge comme une tomate devra-t-elle rester évanouie? Et si quelqu'un appelait une ambulance? Et si Rouge comme une tomate gâchait ainsi la fête? Ce serait la faute d'Abby! Elle biffe ce qu'elle vient d'écrire.

Chère Rouge comme une tomate,
Dis simplement « Non, merci » quand on t'offrira de la pizza et apporte un sandwich au beurre d'arachide!

Voilà! Elle a réussi! Elle a répondu à une question toute seule! Abby glisse une autre question sur ses genoux.

« Chère Abby à la rescousse,
Pourquoi ma meilleure amie me surpasse-t-elle dans tous les domaines?
Découragée »

Voilà une autre question grave. Abby promène son regard autour d'elle. M. Raphaël parle à Brianna. Jessica en est à sa troisième aquarelle. Nathalie tripote la lentille de son appareil photo.

Chère Découragée,
Personne ne peut surpasser quelqu'un dans tous les domaines.

Abby fait une pause et réfléchit. Qui a écrit cette question? Il n'y a que Béthanie dont la meilleure amie la « surpasse dans tous les domaines ».

Tu possèdes sûrement des talents particuliers; peut-être que tu sais t'y prendre avec les animaux ou que tu es douée pour la gymnastique. Qui sait, ta meilleure amie n'excelle peut-être pas dans tout! C'est peut-être seulement de la vantardise!

Abby pose son stylo. Voilà qui devrait renforcer la confiance de Béthanie. Elle en a vraiment besoin. Jessica a raison : tous ces « Ouais, Brianna! » tombent sur les nerfs de bien des gens. De plus, Béthanie est très gentille quand on la connaît. Abby espère que sa réponse changera les choses.

« Abby,
Comment les oiseaux volent-ils? Pourquoi le ciel est-il bleu? Pourquoi le soleil ne s'éteint-il pas s'il n'y a pas d'oxygène dans l'espace?
Georgette la curieuse »

Est-ce qu'elle doit vraiment répondre à ça? Elle est chroniqueuse d'un courrier du cœur, pas une encyclopédie vivante! Abby met la question de côté. La prochaine sera peut-être plus pertinente.

« Chère Abby à la rescousse,

Mes parents crient sans arrêt. Qu'est-ce que je peux faire?

Oreilles écorchées »

Voilà une excellente question, mais comment y répondre?
Encore une fois, elle lance un regard à M. Raphaël. Assis à
son bureau, il prend des notes.

Chères Oreilles écorchées,
Fais comme eux.

Non, ce n'est certainement pas un conseil judicieux. Abby
se concentre.

Si ce n'est pas après toi qu'ils crient, que dirais-
tu de porter des bouche-oreilles?

Abby dépose son stylo en soupirant et déplie la dernière
question.

« Chère Abby à la rescousse,

Pourkoua a-tu toujour les croniks les plus hintéressantes?
C'est pas juste!

Anonime »

Comment est-elle censée répondre à une question comme celle-là? Toutes ces fautes d'orthographe... Est-ce qu'il s'agit d'une blague? Ou...

— Nathalie!

La voix de M. Raphaël résonne.

— Si tu ne ranges pas cet appareil photo immédiatement, je vais le confisquer!

Nathalie baisse lentement son appareil photo. Elle est toute rouge.

— J'ai fait deux aquarelles, monsieur Raphaël.

L'enseignant les examine.

— C'est inacceptable.

Abby remet rapidement les papiers du courrier du cœur dans son cahier. Elle jette un coup d'œil aux aquarelles de Nathalie et lève la main.

— Monsieur Raphaël, elle a terminé son travail.

— Je ne t'ai pas demandé ton avis, Abby, dit-il.

Il marche à grands pas jusqu'à l'avant de la classe.

— En sortant, remettez-moi vos aquarelles. Je veux qu'elles soient signées dans le coin inférieur droit, comme celles des vrais artistes.

Les élèves rassemblent leurs affaires et sortent du local d'arts plastiques en file. Abby signe son aquarelle dans le coin inférieur gauche et la tend à M. Raphaël.

— Désolée, Nathalie, dit Abby en se hâtant de rejoindre son amie dans le couloir.

Elle regrette de ne pas avoir fait davantage pour défendre Nathalie. Elle aurait dû tenir tête à M. Raphaël. Pourquoi s'en est-il pris à Nathalie, au fait? Elle s'efforçait simplement de faire son travail pour le journal.

— Ce n'est vraiment pas juste! ajoute-t-elle.

— Je sais, marmonne Nathalie.

Les épaules voûtées et la tête baissée, elle serre fermement son appareil photo.

— Merci quand même.

Abby la courriériste aurait su trouver les mots pour réconforter son amie. Mais Abby Hayes, elle, ne sait pas quoi faire.

Chapitre 7

Jeudi

Donnez-nous les outils et nous finirons le travail.

Winston Churchill

Calendrier des loisirs

Nos outils : ordinateurs, disquettes, numériseur, imprimante et photocopieur.

Le travail : vous le savez déjà.

Youpi! Youpi!
Nous faisons le journal aujourd'hui!

Est-ce que c'est un poème, ça? Devrais-je le donner à Mme Élizabeth pour qu'elle le mette en première page?

Peut-être qu'elle apprécierait une citation pour L'écho de Lancaster.

Quelque chose comme :

« Les syllabes gouvernent le monde »?
Sir Edward Coke
Calendrier des citrouilles primées

Est-ce que sir Edward Coke buvait du Pepsi?
Très drôle! Ne répéter à personne, sauf à papa,
qui aime les blagues stupides!

Puisqu'il est question de papa, pourquoi est-il si
souvent au téléphone depuis quelque temps? Il a
toujours l'air inquiet. Et quand je lui pose une
question, il ne s'en rend même pas compte. J'ai
essayé de lui dire d'écrire à « Abby à la
rescousse », mais il ne m'a même pas entendue.

— Abby à la rescousse!

Mme Élizabeth l'appelle de la table où elle corrige les articles des élèves.

— J'ai besoin de ta chronique!

— Je l'ai, madame Élizabeth!

Abby sauvegarde son travail sur une disquette, imprime une copie et quitte le programme. Lorsqu'elle se lève, Mason la renverse presque.

— Ça fait des heures que tu accapares l'ordinateur, dit-il.

Abby consulte sa montre.

— Plutôt 15 minutes.

— Il faut que je tape ma chronique de sport, dit-il dans un

grognement en agitant une feuille de papier couverte de ratures rouges.

— On dirait qu'il n'en reste pas grand-chose après correction, dit Nathalie, qui est en train de numériser des photographies, à l'aide d'un autre ordinateur.

Mason rougit.

— Si j'avais seulement quelques photos à prendre comme toi, Nathalie, réplique-t-il, ma tâche serait facile!

À une autre table, Jessica travaille en compagnie de Zach et de Tyler. La cartouche-titre du journal est déjà conçue et en place. Ils s'affairent maintenant à disposer les articles corrigés à la une.

— Il faudra peut être réduire l'entrevue de Brianna d'une ligne ou deux, dit Jessica. Ou encore la déplacer à la page 3.

— Non! proteste Brianna. Pas de coupures, pas de page 3! J'écris pour la une!

Elle trépigne de rage et se dirige vers Mme Doris, l'air furieux.

— Dites à Jessica qu'elle ne peut pas m'enlever de la une!

Leur enseignante travaille avec Meghan sur son article de fond traitant de la nouvelle cour de récréation.

— Madame Doris! dit Brianna sèchement. Vous m'avez entendue?

— Oui, je t'ai entendue, Brianna. Mais c'est Jessica qui s'occupe de la mise en pages. Tu devras respecter sa décision.

Brianna traverse la classe d'un pas indigné.

— C'est vraiment terrible la manière dont on traite les

auteurs de nos jours!

Abby et Jessica échangent un regard.

— Place-moi n'importe où, dit Abby.

De toute façon, les courriers du cœur sont toujours cachés au milieu ou à la fin des journaux. Elle espère quand même que sa chronique ne subira pas trop de coupures. Et qu'elle n'aura pas autant de corrections à faire que Mason!

— Abby à la rescousse! appelle encore Mme Élizabeth.

— Je suis là, madame Élizabeth.

Abby se glisse sur une chaise à côté de son enseignante. Elle a l'estomac noué. Mme Élizabeth lui dira-t-elle qu'elle a donné de mauvais conseils? L'obligera-t-elle à récrire toutes ses réponses?

Mme Élizabeth hoche la tête en lisant la feuille qu'Abby lui a remise.

— Bien, dit-elle. Très bien.

Abby laisse échapper un soupir de soulagement.

— Vraiment? Ça vous plaît?

— Oui, Abby. J'ai une seule question pour toi. Que comptes-tu faire de celles-là? demande-t-elle en désignant les lettres de Georgette la curieuse, d'Anonime et de Gommette.

— Ce que je compte faire de celles-là? répète Abby.

— Tes réponses à ces lettres ne sont pas très intéressantes. Il y manque l'étincelle habituelle d'Abby.

— Les questions étaient si difficiles, madame Élizabeth! J'ai passé des heures à chercher des réponses!

Pour la gomme à bulles, Abby a trouvé la réponse dans un livre intitulé *Trucs utiles pour la maison*, qu'elle a déniché dans la bibliothèque familiale.

En réponse à Georgette la curieuse, elle a cité des passages d'une encyclopédie.

Et pour Anonyme, elle a énuméré toutes les tâches au sein du journal et a ajouté : « Elles sont toutes intéressantes ».

— J'ai consulté les experts! dit Abby à son enseignante. Est-ce que ce n'est pas ce qu'on doit faire?

— Tu as travaillé fort, reconnaît Mme Élizabeth, mais je crois que tes réponses sont trop sérieuses.

— Est-ce qu'il ne faut pas qu'elles le soient? Est-ce qu'un courrier du cœur n'est pas quelque chose de sérieux?

— Tu n'as pas vraiment besoin d'être aussi raisonnable, dit Mme Élizabeth. Sois un peu plus audacieuse. Tu peux être toi-même, tu sais.

Perplexe, Abby reprend sa chronique. Être un peu plus audacieuse? Être elle-même? Que veut dire Mme Élizabeth? Est-ce qu'elle n'était pas elle-même quand elle a passé une heure à rédiger des réponses à ces questions idiotes? Et maintenant, voilà qu'elle doit tout recommencer!

Est-ce que la vraie « Chère Abby » recevait des questions comme : « Pourkoua a-tu toujour les croniks les plus hintéressantes? C'est pas juste! »?

Abby s'assoit à sa place et saisit son stylo mauve. Très bien, elle sera audacieuse. Elle sera elle-même.

Salut, Anonime,

D'abord, je sais écrire sans faire de fautes. Et toi? En plus, qu'est-ce qui te fait croire que c'est une « cronik hintéressante » ? Je dois répondre à des lettres comme la tienne!

Exaspérée, Abby relit les questions de Georgette la curieuse et reprend son stylo.

Pourquoi est-ce si difficile pour Anonime d'écrire son propre nom sans faire de fautes? Pourquoi poses-tu des questions d'ordre scientifique à la chroniqueuse d'un courrier du cœur? Pourquoi ces questions sont-elles aussi stupides?

Plus qu'une seule. C'est la question de Gommette à propos de la gomme à bulles.

As-tu essayé avec de la confiture? (Ha! ha!) Je crois que tu devras t'acheter un autre t-shirt. La prochaine fois, cache ta gomme derrière ton oreille.

— Est-ce que c'est mieux comme ça? demande Abby à Mme Élizabeth en lui remettant les nouvelles réponses.

L'enseignante commence à lire.

— Si ça ne va pas, vous pouvez utiliser les anciennes réponses ennuyeuses, suggère Abby. Ou réduire la chronique de moitié. Ou...

— Je crois que tes nouvelles réponses feront l'affaire, dit Mme Élizabeth en souriant.

Elle tend une autre feuille à Abby. C'est la chronique scientifique de Béthanie.

— Veux-tu m'aider à corriger cet article? demande-t-elle. Il faut vérifier l'orthographe.

— D'accord.

Abby s'arrête.

— Croyez-vous sincèrement que ma chronique d'« Abby à la rescousse » est bonne?

— Oui, la rassure Mme Élizabeth.

— Sincèrement? insiste Abby.

— Sincèrement!

L'enseignante désigne une pile de feuilles.

— Nous avons un délai à respecter. Je dois lire tous ces articles. Le tien est le moindre de mes soucis.

« Le moindre de ses soucis », répète Abby intérieurement tandis qu'elle fouille dans son sac à dos pour trouver un stylo rouge. Ce n'est pas exactement ce qu'elle aurait souhaité entendre, mais, au moins, elle n'aura pas à récrire ses réponses une troisième fois.

Elle se tourne vers l'article de Béthanie.

« Ceci est une cronique sientifique, a écrit Béthanie, mais puisque se sont sourtout les animaux qui m'interressent, je vais vous parlez d'eux. Les animaux sont un sujet fassinant. »

— Qu'est-ce que tu en penses? demande Béthanie, qui se tient juste derrière elle.

— Pas mal, répond Abby. Je suis en train de corriger tes fautes d'orthographe.

— Je ne suis pas bonne en orthographe, admet Béthanie.

— Il faut t'exercer, dit Abby. Ou acheter un bon vérificateur orthographique pour ton ordinateur.

Béthanie hoche la tête.

— C'est ce que dit ma mère.

« Je viens de donner un conseil, réalise Abby tout à coup. Un bon conseil. »

Cela devient de plus en plus facile.

— Toc, toc! dit Rachel en frappant sur la table pour plus de réalisme.

C'est une grande fille qui aime skier en hiver et faire de l'escalade en été.

— Qui est là? demande Mme Élizabeth sans quitter des yeux l'article qu'elle corrige.

— Norma Leman, dit Rachel.

— Norma Leman qui?

— Norma Leman, je ne frappe pas aux portes, mais aujourd'hui, je vends le meilleur aspirateur en ville.

— C'est lamentable, gémit Béthanie. Je déteste les blagues de ce genre.

— Moi, je les aime bien, dit Abby en remettant la chronique scientifique corrigée à Mme Élizabeth.

— Est-ce qu'on pourra faire un numéro spécial de blagues? Pour le premier avril? demande Rachel.

— Bonne idée, approuve Mme Élizabeth.

Abby et Rachel se tapent dans la main.

Mme Doris jette un coup d'œil à l'horloge.

— Allez, tout le monde! Sauvegardez votre texte et dépêchez-vous de ranger! Vous êtes en retard pour le cours d'arts!

— Je n'ai pas fini! s'écrient plusieurs élèves d'un ton plaintif.

— Vite, vite! dit Mme Doris en tapant dans ses mains.

Tandis que tout le monde ramasse ses affaires à la hâte, M. Raphaël passe la tête dans l'embrasure de la porte.

— Où sont mes élèves?

— Désolée! dit Mme Doris. Nous étions tellement absorbés dans la préparation de notre journal que nous avons oublié le cours d'arts! Nous nous préparons à l'instant!

M. Raphaël n'a pas l'air content. Il se tient dans l'embrasure de la porte, les bras croisés sur sa poitrine. Il tape du pied avec impatience.

Mme Doris tente d'alléger l'atmosphère.

— L'enseignante de création littéraire est restée une heure de plus aujourd'hui. Elle nous aide pour le journal. C'est exceptionnel. Nous ne serons plus en retard.

— Cela signifie moins de temps que prévu pour travailler l'argile, dit M. Raphaël.

— C'est ma faute, dit Mme Doris. C'est tellement excitant de publier un journal. Vous pourriez peut-être nous aider?

— Peut-être, dit M. Raphaël à contrecœur. Discutons-en après l'école.

— Monsieur Raphaël, j'aimerais vous interviewer pour notre journal, lance soudain Brianna. L'entrevue paraîtra à la une, ajoute-t-elle en décochant un regard à Jessica.

— Peut-être, précise Jessica.

M. Raphaël fronce les sourcils.

— Une entrevue?

— « Une conversation avec Brianna », explique celle-ci.

Elle sort de son sac un carnet de rendez-vous rose.

— À quelle heure êtes-vous libre?

M. Raphaël se passe une main dans les cheveux.

— Nous pouvons nous rencontrer à l'heure du dîner.

— Parfait!

Brianna feuillette son carnet de rendez-vous.

— Jeudi prochain, ça irait?

— D'accord, dit M. Raphaël.

Les élèves se mettent en rang devant la porte.

— Rendez-vous au local d'arts plastiques en silence, dit Mme Doris.

— Je les y conduis, dit M. Raphaël sèchement.

Alors que les élèves sortent de la classe en file, Abby salue Mme Élizabeth et Mme Doris de la main.

— Quand allons-nous terminer notre journal? demande-t-elle.

— Demain! promet Mme Doris. Du moins, nous allons essayer!

Chapitre 8

Mercredi

Le progrès de l'esprit humain est lent.

Edmund Burke

Calendrier des vieilles horloges

Est-ce que l'esprit humain marche au pas ou s'il avance en traînant les pieds? Dans la classe de cinquième année de Mme Doris, on croirait presque qu'il rampe!

Ça nous a pris beaucoup de temps pour préparer le journal. D'abord, quelques élèves ont remis leur travail en retard. Puis nous avons eu de la difficulté à numériser les photos de Nathalie. Les auteurs de certains articles ont eu besoin d'un coup de pouce supplémentaire. Il y a eu de nombreuses réécritures. À la dernière minute, Zach a décidé de refaire ses caricatures.

Aujourd'hui, le journal est paru. Enfin!

Table des matières

(Question : Pourquoi pas « Chaise des matières » ou « Canapé des matières »? On pourrait alors s'asseoir confortablement pour lire... Bon, on oublie ça!)

Page 1. « Conversations avec Brianna », avec photo de Brianna. « Notre nouvelle cour de récréation », par Meghan, avec les dessins humoristiques de Zach. Cartouche-titre. Table des matières.

Toc, toc!

Page 2. « Histoires pas bêtes », par Béthanie, avec les dessins humoristiques de Zach. Nouvelles scolaires. Calendrier. Les blagues « Toc, toc! » de Rachel.

Page 3. « Les équipes de basketball de l'école Lancaster s'écroulent encore », par Mason, avec les photographies de Nathalie. « Plastique! Papier! Un reportage sur le recyclage à l'école », par Jonathan, avec les dessins humoristiques de Zach.

Page 4. « Abby à la rescousse ». Les photos prises par Nathalie. D'autres blagues « Toc, toc! » de Rachel.

Sur l'une des photos de Nathalie, Mason fait

mine d'assommer Tyler avec un manuel. Sur une autre, on voit M. Raphaël bâiller. Il y a également un gros plan de Jessica portant à sa bouche une cuillerée de purée de pommes de terre.

Quelques réactions à la première édition de L'écho de Lancaster :

— Zach, j'aime bien comment tu as transformé notre cage à grimper en cage à singes! (Nathalie, commentant les dessins humoristiques)

— Ha! ha! ha! ha! ha! (Tyler et Mason, admirant leur photo)

— Ouais, Brianna! (Devinez qui!)

— De la purée de pommes de terre? Pourquoi pas du pain de viande? (Jessica, en réaction à sa propre photo)

— Bien sûr que je suis à la une! Où veux-tu que je sois? (Devinez qui!)

— Abby à la rescousse? Je suis impatiente de lire ça! (Mme Dominique, feuilletant son exemplaire)

— Excellent journalisme d'enquête (Mme Doris, au sujet de l'article de fond de Meghan sur la nouvelle cour de récréation)

— Toc, toc! (Devinez qui!)

Nombre d'anecdotes sur les hamsters dans la

chronique de Béthanie, « Histoires pas bêtes » : 4 (C'est encore trop! Elles racontent toutes comment un hamster s'est enfui dans un conduit de chauffage.)

Nombre de fois que Brianna a utilisé les mots « je », « moi » et « le mien » lors de son entrevue avec Mme Dominique : 37

Compliments adressés à Jessica sur la conception et la mise en pages du journal : des dizaines

La couleur du visage de M. Raphaël quand il a vu sa photo dans le journal : rouge cramoisi

« Abby à la rescousse » a un aspect bien différent une fois imprimé! Je me suis sentie toute drôle en relisant les questions et les réponses.

Est-ce qu'Anonime et Georgette la curieuse m'en voudront? Je leur ai dit que leurs questions étaient stupides! J'ai conseillé à Gommette de cacher sa gomme derrière son oreille! Qu'est-ce qu'ils vont penser? Et moi, qu'est-ce que j'ai pensé??? Mes réponses ne font pas d'étincelles, elles crépitent et éclatent! Elles explosent! J'aurais dû faire preuve de tact et de politesse, même si leurs questions étaient stupides!

Madame Élizabeth, pourquoi ne m'avez-vous pas arrêtée? Mes premières réponses n'auraient offensé personnel (Mais elle a raison : elles étaient très ennuyeuses.)

Je suis bien contente que ma chronique soit à la page 41 Peut-être que personne ne la verra et ne lira mes conseils offensants.

Les autres réponses sont plus appropriées. J'ai conseillé à Rouge comme une tomate d'apporter un sandwich au beurre d'arachide au souper-pizza. J'ai fait remarquer à Découragée que sa meilleure amie se vantait probablement, en plus de lui rappeler qu'elle était plus douée que sa copine pour la gymnastique et pour s'occuper des animaux. J'ai dit à Oreilles écorchées de porter des bouche-oreilles quand ses parents crient.

Je crois que je m'en suis bien sortie... du moins, en partie.

Résolutions

Être plus patiente, la prochaine fois, avec ceux qui posent des questions idiotes!

Me concentrer sur les vrais problèmes; donner le meilleur conseil.

Cesser de m'en faire; être heureuse!

Je suis rentrée chez moi de bonne humeur. Je suis montée en courant dans le bureau de papa pour lui montrer le journal. Comme d'habitude au cours des dernières semaines, il était au téléphone. Il n'a pas prêté attention à moi quand j'ai agité le journal devant ses yeux.

J'ai décidé de descendre pour le montrer à Alex. Mon petit frère a bien apprécié les blagues « Toc, toc! » de Rachel. Il a dit que ma chronique était la meilleure du journal. Puis on a joué une partie de cartes ensemble. Il m'a ensuite montré un nouveau jeu d'ordinateur qu'il vient d'acheter.

— Qu'est-ce qu'il a, papa, depuis quelque temps? lui ai-je demandé pendant que le programme s'amorçait. Il a toujours l'air inquiet. Il n'écoute pas quand je lui parle.

Alex a froncé les sourcils.

— Hier soir, j'ai entendu papa et maman parler d'un centre d'hébergement. Ils ont mentionné le nom de grand-maman Emma.

Mon cœur s'est mis à battre plus vite.

— Est-ce que grand-maman Emma est malade?

— Je ne sais pas, a dit Alex. Je me suis endormi après ça.

Quand nous sommes tous allés en vacances, grand-maman Emma était en pleine forme. Elle avait plus d'énergie que la plupart d'entre nous. Maman faisait la sieste tous les jours, mais pas grand-maman Emma. Nous marchions, grimpions et faisions des randonnées durant toute la journée. Jamais elle ne s'est plainte de fatigue ni de malaise.

— Excuse-moi, Alex. Je regarderai ton jeu plus tard. Il faut que je parle à papa!

J'ai grimpé l'escalier quatre à quatre. Au moment où je suis entrée dans la pièce, papa a raccroché. Il a commencé à composer un autre numéro.

— Papa! ai-je crié. Qu'est-ce qui se passe? Est-ce que grand-maman Emma est malade? Il faut que je sache! Raconte-moi tout!

Pendant un instant, papa m'a regardée comme s'il ne me reconnaissait pas. Puis il a posé le combiné.

— Ne t'inquiète pas, Abby. Ta grand-mère va bien.

— Qu'est-ce qui ne va pas, alors? ai-je demandé en m'assoyant dans un fauteuil.

Mon cœur battait à tout rompre. Je n'arrivais pas à me calmer.

— C'est ton grand-oncle Jacques. Il ne peut plus se débrouiller seul. Ta mère et moi essayons de lui trouver une place dans un centre d'hébergement. Il a besoin d'aide pour les repas, pour aller chez le médecin et pour prendre ses médicaments. C'est très difficile parce qu'il ne veut pas reconnaître qu'il a besoin d'aide.

— Tu es certain que grand-maman Emma n'a rien?

– Ta grand-mère va très bien, m'a rassurée mon père.

Il s'est passé la main sur le menton. J'ai remarqué qu'il ne s'était pas rasé aujourd'hui.

– Elle se fait du souci pour oncle Jacques, comme nous tous.

OUF!!!!!! J'ai poussé un soupir de soulagement. Même si j'étais désolée d'apprendre que grand-oncle Jacques ne pouvait plus s'occuper de lui-même, j'étais CONTENTE que ce ne soit pas grand-maman Emma.

Je ne connais pas beaucoup grand-oncle Jacques, mais papa a dit qu'il s'était montré très bon avec maman quand elle faisait ses études en droit. Il a ajouté que grand-oncle Jacques était très indépendant et que c'était difficile pour lui de vieillir.

Ensuite, papa et moi avons eu une longue conversation. Il a dit qu'il était désolé de ne pas m'avoir accordé beaucoup d'attention ces derniers temps. Il m'a expliqué que maman et lui désiraient trouver le meilleur endroit possible pour grand-oncle Jacques et que ça nécessitait beaucoup de temps et de nombreux appels téléphoniques.

Je suis redescendue en courant pour aller chercher L'écho de Lancaster et je lui ai montré ma chronique. Les photos de Nathalie et ma réponse à Gommette l'ont fait rire. (Peut-être que

Gommette ne sera pas fâchée, après tout...) Il a trouvé qu'« Abby à la rescousse » était un excellent titre. Il a promis de terminer la lecture de ma chronique après le souper.

— Pourquoi pas maintenant? ai-je demandé.

Papa a regardé sa montre.

— J'aimerais bien, mais je dois joindre la directrice d'un centre d'hébergement avant la fermeture de son bureau.

Il a soupiré, m'a serrée dans ses bras et a tendu la main vers le téléphone.

Au moment où j'écrivais ces mots, Nathalie a téléphoné.

— Tes photos sont magnifiques! lui ai-je dit. Tu dois être ravie!

— Elles auraient pu être beaucoup mieux.

— Quoi??? Mon père les a adorées. Moi aussi. Et un tas d'autres gens.

Nathalie n'a pas relevé cette remarque. Elle m'a plutôt révélé un fait surprenant et choquant. « Découragée », c'était elle!

— C'est toi qui as écrit la lettre disant que ta meilleure amie te surpassait dans tout?

— Oui, dit Nathalie.

— Non! ai-je crié.

Nous sommes restées silencieuses pendant un moment.

— Tu le penses vraiment? ai-je demandé soudain. Je te décourage à ce point-là? Ou est-ce Jessica?

— Je suis jalouse de vous deux, a avoué Nathalie. J'ai voulu simplifier la question.

— Pourquoi? Pourquoi es-tu jalouse?

— Je suis nouvelle, a marmonné Nathalie. Je ne sais pas trop.

— Je ne peux pas le croire! Tu joues dans des pièces! Tu résous des énigmes! Tu fais des expériences de chimie! Tu prends des photos!

— Je sais.

— C'est moi qui suis jalouse de toi!

Nathalie a laissé échapper un petit rire nerveux.

— Je n'avais jamais vu les choses de cette façon-là.

J'aurais voulu rappeler à Nathalie qu'elle lisait plus que n'importe quel autre élève de cinquième année. Qu'elle était la meilleure actrice de la classe, meilleure même que Brianna. Et que, si un jour quelqu'un découvrait comment changer des roches en or et en diamant, ce serait elle.

Mais brusquement, je me suis rendu compte de ce que j'avais fait.

— Oh non! me suis-je écriée. J'ai répondu à Découragée que sa meilleure amie se vantait. Je lui ai écrit qu'elle était douée pour la gymnastique et pour s'occuper des animaux.

J'avais le visage en feu.

— Quand Brianna lira la lettre, elle pensera que je parle d'elle!

J'ai fait une pause pour mieux réfléchir.

— Elle va se disputer avec Béthanie. Ce sera la fin de leur amitié! Et celle de la mienne avec Béthanie, aussi! Comment ai-je pu être aussi bête?

Nathalie a tenté de me rassurer.

— Brianna et Béthanie ne liront probablement même pas la chronique.

— Tu te trompes! Elles vont la lire! Ou quelqu'un d'autre le leur dira!

— Tu peux leur faire tes excuses, a suggéré Nathalie.

— Elles les accepteront, tu crois? Et comment ce sera de dire « Excuse-moi » à Brianna?

Je suis tellement bouleversée au sujet de Béthanie et Brianna que je raccroche sans avoir dit quoi que ce soit à propos du problème le plus important : Nathalie. J'aurais voulu qu'elle soit Encouragée, et non Découragée!

C'est difficile à croire qu'elle nous envie, Jessica et moi. Elle est jalouse de nos talents alors qu'elle en a tellement elle-même. Je n'en reviens toujours pas!

J'aurais dû m'apercevoir qu'elle n'était pas très sûre d'elle en photographie. Elle prétend que ses photos ne sont pas bonnes. C'est faux!

De plus, elle ne se rend pas compte de son talent pour le jeu ni du fait que nous l'apprécions beaucoup comme amie. Qu'est-ce que ça peut faire qu'elle soit nouvelle?

Je dois essayer de développer la confiance de Nathalie. Je vais publier « Les sept secrets d'Abby pour une meilleure estime de soi ».

(Petit problème : Quels sont les sept secrets d'Abby pour une meilleure estime de soi?)

Les sept secrets d'Abby pour une meilleure estime de soi

P.-S. C'est moi qui vais avoir besoin des « Sept secrets d'Abby pour une meilleure estime de soi » si Béthanie et Brianna sont furieuses contre moi!

Vite, une solution! Au secours, Nathalie! Au secours, moi! Au secours! Au secours! Au secours!!!!!!

Chapitre 9

Jeudi

Il faut mépriser tout
ce que l'on peut perdre.

Publius Syrus

Calendrier des tirelires

Ah oui? Et mon amitié avec Béthanie? Est-ce qu'elle est méprisable? J'aurai beaucoup de peine si notre amitié se termine.

Et Nathalie? C'est vrai qu'elle a perdu confiance en elle-même. Elle doit la regagner!

Je dois trouver une meilleure citation! Voilà! J'ai ouvert le calendrier des jours heureux et j'ai aperçu celle-ci :

« Courage, le pire reste encore à venir. »

Philander Chase Johnson

Au secours! Est-ce que c'est un présage? Laissons tomber les citations inspirantes! Je vais plutôt me fortifier avec des céréales.

En entrant dans la cour d'école, Abby aperçoit Béthanie et Brianna qui bavardent près de la glissoire. Son cœur bat fort. « Courage! se dit Abby. Tiens-toi droite et garde la tête haute. Il faut affronter la tempête. »

Elle voudrait bien qu'il ne s'agisse que d'une tempête! Elle ne se sent pas très confiante ni très forte. Est-ce que c'est toujours cela qu'éprouve Nathalie?

Inspirant quelques bonnes bouffées d'air pour se calmer, Abby se dirige vers les deux filles.

— Euh... salut, Béthanie. Salut, Brianna.

— Devine quoi! s'exclame Béthanie en souriant, comme si rien ne s'était passé. Ma mère et mon père ont beaucoup aimé « Histoires pas bêtes »! Ils étaient stupéfaits de mon excellente orthographe. Je leur ai dit que tu m'avais aidée, Abby!

— Oui, je... je... bredouille Abby. Je veux dire, de rien. Il n'y a pas de quoi.

Elle baisse la tête et fixe ses mains.

— Ma mère a dit que les anecdotes sur les hamsters étaient réalistes, poursuit Béthanie. Mon père a dit qu'elles étaient palpitantes et dramatiques.

Brianna a un geste d'impatience.

— Assez parlé de hamsters.

— Oh! j'allais oublier! « Abby à la rescousse », c'était tordant! ajoute Béthanie.

Abby la dévisage.

— Tordant? répète-t-elle. Tu veux dire que tu as ri?

Béthanie rigole.

— Tu es tellement drôle! Exactement comme dans ta chronique! J'ai adoré ce que tu as écrit à Anonime et à Georgette la curieuse. Mes parents trouvent que tu as un bon sens de l'humour.

— Ah oui? C'est vrai?

Brianna prend la parole.

— Aujourd'hui, mon père va distribuer des photocopies de mon entrevue avec Mme Dominique à tous ses collègues de travail, dit-elle d'un ton suffisant. Il affirme que, s'il existait un prix Pulitzer du journalisme pour les enfants, c'est moi qui l'aurais!

Abby fait comme si elle n'avait rien entendu.

— Tu as lu toute ma chronique? demande-t-elle à Béthanie, incrédule.

— Bien sûr. Ensuite, j'ai mis la feuille dans la cage de Blondie. Elle l'a mordillée.

Brianna les interrompt encore une fois.

— Mme Dominique m'a remis une note de remerciement pour l'entrevue, déclare-t-elle. Elle aime bien côtoyer les élèves doués comme moi. C'est la portion de son travail qui lui apporte le plus de satisfaction.

— Elle t'a réellement dit ça? demande Abby.

— C'est ce qu'elle a voulu dire, répond Brianna. Je sais lire entre les lignes.

Abby respire profondément.

— Est-ce que tu as lu ma chronique, toi aussi?

— Je l'ai vue, dit Brianna. Elle était à la dernière page.

— Tu es fâchée?

— Fâchée?

Brianna la regarde comme si elle avait perdu la tête.

— Mon entrevue ET ma photo étaient à la une du journal. Pourquoi serais-je fâchée?

La première cloche retentit. Abby fait la file pour entrer dans l'école. Quelqu'un lui tape sur l'épaule. Elle se retourne et aperçoit Mason et Zach qui lui sourient.

— Beau travail, « Abby à la rescousse »! lance Mason, qui laisse échapper trois rots de suite. Le grand Mason a bien aimé!

— Excellente chronique! dit Zach.

— Vous trouvez? s'étonne Abby.

Tout à coup, Abby voit Nathalie marcher rapidement vers l'école. Elle lui fait de grands signes. Nathalie ne réagit pas.

— Salut, « Abby à la rescousse »! lance un élève de deuxième année.

— Je pense que tu devrais rebaptiser ton courrier du cœur « Abby la furie » dit Jonathan, qui tient son étui à clarinette dans une main et un bâton de hockey dans l'autre. Tu te mets en colère contre la moitié de ceux qui t'écrivent.

— Elle est bonne, celle-là! s'écrie Mason. Abby la furie,

courriériste à vos risques!

— Je n'avais pas pensé à ce nom-là, reconnaît Abby.

— C'était très drôle! chuchote Meghan en repoussant une mèche de cheveux qui tombe sur son visage.

— Devine qui était Anonime! dit Zach.

— Un champion d'orthographe? dit Abby à la blague.

Mason et Zach se donnent un coup de poing amical.

— C'était nous! hurlent-ils. On a voulu faire une farce!

— Ha, ha, ha! fait Abby. Très amusant.

Lorsqu'ils passent devant le secrétariat, Mme Élizabeth surgit avec une pile de livres sur les bras.

— Le premier numéro est un véritable succès! dit-elle. Je suis tellement fière de vous tous!

Elle complimente chaque élève l'un après l'autre.

— Magnifiques dessins, dit-elle à Zach. Article stimulant, Meghan. Bonnes blagues, ajoute-t-elle en s'adressant à Rachel. Et notre courriériste avait la plume étincelante et alerte, dit-elle à Abby.

— Euh... oui, marmonne celle-ci.

Elle a la tête qui tourne. Elle s'attendait à ce que tout le monde soit en colère, mais voilà qu'on la félicite. C'est à n'y rien comprendre.

Abby entre dans le vestiaire et accroche son blouson et sa tuque. Elle détache ses bottes et prend ses chaussures de sport. Elle espère que Nathalie sera bientôt là. Elle veut lui parler.

— J'interviewe M. Raphaël aujourd'hui, annonce Brianna en ôtant son manteau de peluche blanche pour dévoiler une robe bleue à manches très courtes. J'espère qu'il se rend compte de la chance qu'il a. Il fera la une avec moi.

— Tu n'as pas d'espace réservé à la page 1!

Jessica enlève ses bottes et met ses chaussures de sport.

— Ta prochaine entrevue pourrait même se retrouver à la dernière page!

— Non! s'écrie Brianna d'un ton scandalisé.

— Oui! réplique Jessica en sortant son cahier de son sac à dos. Alors, ne fais pas de promesse que tu ne pourras pas tenir.

Brianna ouvre la bouche, puis la referme. Elle prend son devoir et sort du vestiaire, l'air offusqué.

— Tu ne t'es pas gênée! fait Abby en levant le pouce pour féliciter Jessica. Bravo!

Jessica lui adresse un grand sourire.

— Probablement qu'elle sera encore à la une, dit-elle tout bas. Mme Doris veut mettre en évidence les entrevues avec les enseignants. Mais je ne vais surtout pas le dire à Brianna!

Du coin de l'œil, Abby aperçoit Nathalie qui se tient toute seule à la porte du vestiaire.

— Nathalie! s'écrie Abby. Viens avec nous!

Est-ce que Nathalie sait à quel point ses amis l'aiment? Si c'était le cas, elle ne serait pas aussi découragée. Mais avant qu'Abby puisse prononcer un mot, Nathalie disparaît dans la classe.

Quelques minutes plus tard, Abby ouvre son pupitre. Sur sa pile de manuels repose une enveloppe adressée à « Abby à la rescousse ». Elle l'ouvre et y trouve une simple feuille de papier lignée. La lettre a été écrite au crayon.

« Chère Abby à la rescousse,
J'ai suivi ton conseil à propos des bouche-oreilles. Je n'ai pas entendu autant de cris, mais je n'ai pas non plus entendu mon père et ma mère m'appeler pour le souper ou pour me demander de sortir les ordures ou d'éteindre l'ordinateur. Oh là là! qu'ils étaient furieux! J'ai eu droit à encore plus de cris que d'habitude. Et j'ai aussi perdu le privilège d'utiliser mon ordinateur pour une semaine. Qu'est-ce que je fais maintenant?
Oreilles superécorchées »

Tandis qu'Abby fixe le message d'un air consterné, Meghan lui tapote l'épaule.

— Qu'est-ce qu'il y a?

Sans même lever les yeux, Abby ouvre sa reliure et sort son devoir.

— Je suis Rouge comme une tomate, souffle Meghan.

— Ah oui?

— Tu m'as suggéré d'apporter un sandwich au beurre d'arachide au souper-pizza. Eh bien, je suis encore plus allergique au beurre d'arachide qu'au fromage. Je peux mourir si j'en mange.

— Oh! gémit Abby.

— Je voulais seulement que tu le saches, dit Meghan tout bas avant de s'éloigner sur la pointe des pieds.

Chapitre 10

Vendredi

La plume est plus forte
que l'épée.

Edward George Bulwer-Lytton

Calendrier des buvards

Absolument! Une seule épée (même bien aiguisée) ne pourrait jamais rivaliser avec l'implacable stylo mauve d'« Abby à la rescousse »! (Pourquoi est-ce que je plaisante? Ce n'est pas drôle du tout!!!)

<u>Dommages causés par la plume d'Abby</u>

1. Oreilles écorchées est devenu Oreilles superécorchées et a perdu le privilège d'utiliser l'ordinateur pour une semaine.

2. Nathalie me fuit.

3. Si Béthanie découvre que j'ai cru qu'elle était

Découragée, elle m'en voudra.

4. Même chose pour Brianna.

5. Si Meghan avait suivi mon conseil, ça l'aurait tuée. (Heureusement, elle savait qu'elle était allergique au beurre d'arachide. Malheureusement, elle ne sait toujours pas ce qu'elle fera au souper-pizza.)

6. Des amitiés ont été gâchées. Des parents se sont mis en colère. Le bonheur vole en éclats!

7. Ruine, destruction, misère!!!!!

Dommages causés par une épée aiguisée :

1. Aucun.

Bienfaits pour l'humanité attribuables à la plume d'Abby :

1. Cinq personnes ont ri. Une a eu un petit sourire affecté. Quelques-unes ont été amusées.

(Est-ce que c'est suffisant? Non!!!)

Rapport-éclair de la conversation dans la cuisine des Hayes au déjeuner

Moi : Maman, est-ce que je peux être poursuivie pour avoir donné un mauvais conseil?

Maman (buvant sa première tasse de café) : Pardon?

Moi : C'est une question juridique. « Abby à la rescousse » peut-elle être poursuivie pour atteinte à des amitiés et à des relations familiales?

Maman (l'esprit confus) : Abby à la rescousse?

Moi : Mon courrier du cœur.

Maman : Ton quoi???

Moi : Mes conseils ont bouleversé la vie d'un ou d'une élève et ont failli en tuer une autre. Elle serait morte par allergie au beurre d'arachide.

Maman (s'étouffe avec son café à ces mots) : ...

Papa (intervient) : Ta mère et moi avons discuté très tard au sujet d'oncle Jacques. Pourquoi ne remets-tu pas cette conversation à plus tard, Abby?

Moi : D'accord, mais il faut que je le sache bientôt.

Maintenant que ma plume a ravagé le monde, qu'est-ce que je fais? Je démissionne de ma chronique? Je me cache sous mon lit pendant une semaine? Je quitte la race humaine???

— Nous allons commencer le deuxième numéro du journal aujourd'hui, annonce Mme Doris dès le début du cours, vendredi matin.

« Voilà bien ma chance! » Abby pose la tête sur son pupitre.

Brianna agite la main dans les airs.

— Madame Doris! J'ai déjà commencé à transcrire mon entrevue avec M. Raphaël. Il m'a tout raconté à propos de ses études en Italie. Il dit que je devrais y aller, un jour.

— Et y rester, marmonne Jessica à Abby.

— Comment dit-on « Je suis la meilleure » en italien? murmure Abby.

Elle se tourne vers Nathalie pour voir si elle les a entendues.

Cette dernière griffonne une formule chimique dans un cahier.

— Pssst! fait Abby. Nathalie!

Celle-ci ne réagit pas.

— Qu'est-ce qu'elle a? demande Jessica tout bas.

— Je ne sais pas, ment Abby. Elle pense peut-être à ses photos.

Elle aurait bien voulu se confier à Jessica, mais elle ne peut pas révéler que Nathalie était Découragée. Est-ce que les courriéristes du cœur ne doivent pas garder secrète l'identité des gens?

— Je veux écrire d'autres « Histoires pas bêtes », dit Béthanie. J'ai des tonnes d'anecdotes sur les hamsters!

— Tu pourrais peut-être te concentrer sur d'autres animaux, suggère Mme Doris.

— Écris sur mon cheval, Étoile d'hiver, dit Brianna à Béthanie. Tu pourrais raconter comment j'ai terminé première au concours équestre le printemps dernier.

Abby lève la main.

— Oui, Abby? demande Mme Doris.

— Est-ce que je pourrais être exemptée d'écrire un autre courrier du cœur?

— Non, on garde « Abby à la rescousse »! supplie Zach. Elle est amusante!

— Je n'essayais pas d'être amusante, explique Abby à Mme Doris. Mon intention n'était pas de faire rire.

« Ni de causer des disputes avec les parents ou des réactions allergiques, ni d'embarrasser ou de blesser qui que ce soit », ajoute-t-elle intérieurement.

— Alors, continue à ne pas essayer! s'écrie Mason. Tu es encore plus drôle comme ça!

— Mason! Calme-toi! le réprimande Mme Doris. Tu n'es pas exemptée, Abby. Tu ne vois pas que tu as déjà plusieurs admirateurs?

Abby émet un grognement.

— Continue ce que tu as commencé. Tu t'apercevras peut-être que ça te plaît après tout, ajoute Mme Doris en souriant. Je trouve que tu as fait du très bon travail, Abby.

Certains garçons et quelques filles applaudissent.

Abby se tourne vers Nathalie. Elle écrit toujours dans son cahier.

— D'autres questions? demande Mme Doris.

Brianna se lève.

— Madame Doris, j'ai interviewé M. Raphaël hier pendant l'heure du dîner.

— Oui, Brianna, nous le savons déjà.

— Il était fâché, à cause de la façon dont Nathalie l'a représenté dans le journal. Il prétend que c'est un geste irrespectueux et déplacé d'avoir publié cette photo.

— Qu'est-ce qu'il y a de mal à montrer un enseignant qui bâille? s'écrie Abby, qui a bondi sur ses pieds pour défendre le travail de Nathalie.

Nathalie lève les yeux et fronce les sourcils.

— La photo suggère qu'il est fatigué! dit Brianna d'un ton outré. Ou qu'il s'ennuie!

— Et alors? demande Abby.

— Ce n'est pas... digne! explique Brianna.

— Au moins, tu n'as pas photographié M. Raphaël avec les doigts dans le nez, chuchote Abby à Nathalie.

Cette dernière ébauche un sourire.

— Il veut approuver toute photo de lui qui paraîtra dans *L'écho de Lancaster*, conclut Brianna. Il refuse que Nathalie prenne d'autres photos de lui.

— Je vais faire un dessin humoristique pour illustrer l'entrevue! propose Zach.

— Voilà qui soulève des questions intéressantes, dit Mme Doris en se levant. Qu'est-ce que vous en pensez, tout le monde? Croyez-vous que la photo était irrespectueuse? Levez la main si vous êtes d'accord.

La main de Brianna s'élève comme une fusée. Quelques autres joignent son camp. Béthanie lève la main, la baisse, puis la lève de nouveau.

— Il y a cinq personnes qui trouvent que cette photo est irrespectueuse. Qu'en pensent les autres?

— Non! s'écrient une dizaine d'élèves.

— On vote à main levée! leur rappelle Mme Doris.

Elle compte les mains et annonce :

— Dix-neuf élèves croient que la photo est acceptable. Écoutons maintenant notre photographe. Nathalie? Lève-toi, s'il te plaît.

Nathalie passe une main dans ses cheveux déjà emmêlés et se lève. Elle regarde autour d'elle avec nervosité.

— Quel est ton avis, Nathalie? demande Mme Doris. Pourquoi as-tu pris cette photo et qu'est-ce que tu essayais de montrer?

— Je n'essayais pas de montrer quoi que ce soit, répond Nathalie. Je ne voulais pas être irrespectueuse ni déplacée. C'est simplement une photo de quelqu'un qui bâille. Il se trouve que c'est un enseignant. J'ai pris une photo de Jessica en train de manger et une autre de Mason et Tyler faisant semblant de se battre. Ce sont toutes des choses qui se sont déroulées durant la journée à l'école.

— Tu montrais donc des moments d'une journée à l'école, résume Mme Doris.

— Oui.

Nathalie se rassoit.

— Est-ce que l'explication de Nathalie change l'opinion de

quelqu'un? demande Mme Doris.

Béthanie balaie la classe du regard. Puis, lentement, elle lève la main.

— Béthanie? Qu'en penses-tu?

Celle-ci rougit jusqu'aux oreilles.

— Je crois que la photo est acceptable, dit-elle dans un murmure.

— Non, elle ne l'est pas! s'indigne aussitôt Brianna en la foudroyant du regard.

Mme Doris se tourne vers Brianna.

— Chacun a le droit d'avoir une opinion, Brianna. Et si M. Raphaël ne veut pas que Nathalie le photographie, alors il n'aura pas sa photo dans le journal. Mais nous n'arrêterons pas de publier des photos. Je crois que la majorité de la classe est d'accord. Est-ce qu'il y a d'autres questions?

Elle parcourt la classe des yeux.

— Aucune? Très bien, mettons-nous au travail!

Abby se lève pour aller vérifier la boîte aux lettres du courrier du cœur.

— Bravo, Nathalie, dit-elle en passant à côté de son amie.

— Ouais, grommelle Nathalie. Merci.

Elle baisse vivement la tête et commence à trier une pile de photos sur son pupitre.

Abby s'éloigne. Il est trop tard maintenant pour ajouter quoi que ce soit. Elle aurait pu faire remarquer à quel point les photos de Nathalie étaient réussies. Elle aurait pu dire que *L'écho de Lancaster* avait besoin de davantage de photographies de Nathalie, pas de moins!

Encore une fois, elle a laissé filer une occasion d'aider son amie.

Chapitre 11

Samedi

Il y a toujours deux
facettes à une question.

Calendrier des chevilles carrées

Combien de facettes y a-t-il à chaque réponse?
Il y avait six questions dans la boîte aux lettres
d'« Abby à la rescousse » hier. Certaines étaient
insignifiantes, d'autres sérieuses.

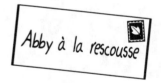

Si chaque réponse a deux
facettes, ça fait douze réponses
en tout.

C'est une lourde responsabilité
d'être courriériste du cœur.

Est-ce que je peux le faire? Je veux le faire!

Du moins, je le crois.

<u>Les résolutions d'Abby (la courriériste)</u>

1. NE PAS mettre en colère, bouleverser,

embarrasser ou embrouiller qui que ce soit.

2. NE PAS tenter de deviner qui a écrit les lettres. NE PAS tirer de conclusions hâtives. (Note : Pourquoi tire-t-on des conclusions? Pourquoi ne pas les soulever, les ériger ou les pousser?) Je ne vais PAS tirer de conclusions hâtives en répondant au courrier adressé à « Abby à la rescousse ».

3. NE PAS donner de conseil dangereux ou fatal.

4. Répondre à toutes les questions par des mots simples : oui, non et je ne sais pas.

5. « Parlez doucement et tenez un gros bâton. » (C'est un ancien président des États-Unis, Théodore Roosevelt, qui a dit ça. Est-ce qu'il écrivait aussi un courrier du cœur? Et pourquoi portait-il un gros bâton? Pour se protéger des gens qui n'appréciaient pas ses conseils?)

Je suis contente que ce soit samedi. Je vais faire des activités en fin de semaine qui n'auront rien à voir avec les journaux, les courriers du cœur ou les problèmes personnels!

— Qu'est-ce qu'on mange pour souper? demande Abby en essuyant ses pieds sur le paillasson à la porte de la cuisine. Ça sent bon.

— Enlève ces bottes mouillées, ordonne son père. Éva vient juste d'essuyer le plancher avec la vadrouille.

— D'accord, papa.

Abby arrive tout juste de chez Gloria. Cette dernière étudie à l'université et habite à quelques maisons des Hayes. Elle a des cheveux bruns rebelles et frisés comme ceux d'Abby. Elle tricote elle-même ses chandails et parle l'espagnol et le français.

Gloria l'a payée cinq dollars pour agrafer et plier une grosse pile de feuilles. Une fois sa tâche remplie, Abby a joué avec la chatte de Gloria, Guimauve.

Son père coupe une tomate en morceaux et met le tout dans un bol. Des bols contenant des olives, des poivrons et du fromage râpé sont éparpillés sur le comptoir.

— Je fais de la pizza, dit-il. Ce que tu sens, ce sont les oignons qui cuisent.

— Miam!

Son père a une ride entre les yeux qui trahit bien son inquiétude.

— As-tu vu ta mère? demande-t-il.

— Elle est allée faire des courses avec Isabelle il y a déjà quelque temps. Elle a dit qu'elle serait rentrée pour le souper.

Abby pend son manteau à la patère près de la porte.

— Gloria m'a appris quelques mots d'espagnol. *Consejo.* Ça veut dire conseil. *Uno, dos, tres, cuatro, cinco, seis, siete, ocho, nueve, diez*, récite Abby. Je viens de compter jusqu'à dix. Gloria a des examens dans une semaine, puis elle aura un mois de congé! J'aimerais bien aller à l'université!

— Mmm, fait son père.

Il manque de se couper le doigt avec le couteau.

— Fais attention, papa! dit Abby. Tu es dans les nuages.

C'est l'expression qu'emploie sa grand-mère quand elle voit que quelqu'un est distrait.

Son père réagit à peine. Il verse la sauce sur la pâte à pizza et disperse fromage, tomates, oignons et poivrons dessus.

— Tu veux bien mettre le couvert? demande-t-il.

— Bien sûr.

Abby prend les ustensiles et les serviettes de table dans le tiroir et les apporte à la table. Elle plie les serviettes et en dépose une à chaque place.

Des pas résonnent sur le perron d'en arrière.

— J'ai déniché cinq nouvelles teintes de vernis à ongles, annonce Isabelle d'une voix triomphante en franchissant la porte, chargée de sacs.

— Et nous avons toutes les deux de nouvelles bottes d'hiver, ajoute sa mère.

Paul Hayes glisse la pizza dans le four. Il dépose un sous-plat sur la table.

— Je viens de recevoir un autre appel, dit-il en adressant un regard éloquent à son épouse. Il faut qu'on parle.

Olivia Hayes acquiesce d'un signe de tête. Elle suspend son manteau et se tourne vers Isabelle.

— Va chercher le reste des sacs dans la voiture, s'il te plaît.

Puis elle se dirige vers le salon. Son mari détache son

tablier et la rejoint rapidement.

— Qu'est-ce qui se passe? demande Isabelle à Abby.

— C'est probablement au sujet de grand-oncle Jacques.

Abby dépose les fourchettes sur les serviettes pliées.

— Ah bon. Quelles sont les nouvelles?

Abby hausse les épaules.

— Je ne sais pas.

Elle entend les chuchotements de ses parents dans l'autre pièce.

Isabelle retourne à la voiture chercher les sacs. Elle laisse la porte se refermer bruyamment derrière elle.

Abby prend les assiettes dans l'armoire et les dispose sur la table. Peu importe ce qui tracasse ses parents, elle espère qu'elle ne sera pas concernée. Il y a déjà sa chronique qu'elle doit écrire et aussi Nathalie qui l'inquiète. Est-ce que ce n'est pas suffisant pour une fille de 10 ans?

— La pizza a bien failli brûler, constate Olivia Hayes en enlevant de son morceau un bout de croûte particulièrement foncé.

La pizza maison vient tout juste d'être servie. Toute la famille est réunie autour de la table.

— Elle est bien cuite, dit son mari. Heureusement, Isabelle l'a sortie juste à temps.

— C'est Abby qui a senti l'odeur de brûlé, fait remarquer Isabelle.

— Hourra, Abby! s'exclame Alex.

Sa bouche et son t-shirt sont déjà maculés de sauce tomate.

— Bon travail d'équipe, Abby et Isabelle, dit leur mère.

Éva jette un coup d'œil à sa montre.

— Puisqu'il est question de travail d'équipe, j'ai justement un entraînement dans une demi-heure.

Paul Hayes dépose sa fourchette.

— Ne pars pas tout de suite, Éva. Nous devons discuter de quelque chose avec vous, dit-il.

Abby s'agite sur sa chaise. Quand ses parents veulent « discuter de quelque chose », ce n'est généralement pas bon signe.

— C'est de ça que vous parliez dans le salon? demande Isabelle.

Leur père hoche la tête. Olivia Hayes s'éclaircit la voix.

— Comme vous le savez, oncle Jacques ne peut plus prendre soin de lui-même, commence-t-elle. Nous avons enfin trouvé un endroit où il pourra aller habiter, mais quelqu'un doit maintenant s'occuper du déménagement, de son appartement jusqu'au centre d'hébergement.

— Un déménageur? suggère Alex.

— C'est trop dur pour oncle Jacques de tout emballer et déballer seul. Il a besoin de l'aide de sa famille, explique leur père. Votre mère et moi allons devoir nous charger du déménagement.

Sa femme approuve d'un signe de tête.

— Nous allons prendre une semaine de congé, nous rendre chez lui en avion, nettoyer son appartement, l'installer dans sa nouvelle résidence et revenir. De toute évidence, ça perturbera nos vies à tous.

— Est-ce que je pourrai aller à mes répétitions de théâtre? demande Isabelle.

— Et moi, à mes parties? s'inquiète Éva.

— Qui va s'occuper de nous? demande Abby. Grand-maman Emma? ajoute-t-elle d'un ton plein d'espoir.

Paul Hayes soupire.

— Voilà le problème : grand-maman Emma ne peut pas venir. Nous ne savons pas quoi faire.

Isabelle et Éva bondissent de leurs chaises.

— On s'occupera de tout! s'écrient-elles en chœur. On préparera les repas, on se fera conduire par les parents de nos amis et on s'assurera qu'Abby fait ses devoirs de maths.

Alex et Abby échangent un regard. Les jumelles qui commanderaient? Pour toute une semaine?

— Pas question! hurlent-ils.

— Éva et Isabelle sont beaucoup trop jeunes pour s'occuper de la maisonnée durant une semaine, dit leur mère. C'est hors de question.

Abby et Alex poussent un soupir de soulagement.

— Il y a nos amis, suggère Alex. On pourrait peut-être aller habiter chez eux?

— Oui! renchérit Éva.

— Bonne idée, Alex! dit Isabelle.

Abby ne dit rien. Elle ne veut pas quitter la maison durant une semaine, même si c'est pour aller chez Jessica.

Et T-Jeff? Qui prendrait soin de lui pendant leur absence? Il s'ennuierait!

— Combien de familles pourraient prendre au moins l'un d'entre vous pour une semaine? demande Olivia Hayes. Nous bouleverserions leurs vies et les vôtres. Ce serait beaucoup plus simple si nous trouvions quelqu'un qui pourrait rester ici, avec vous.

— Oui! s'écrie Abby.

— Mais qui? demande Paul Hayes. Il nous faut quelqu'un tout de suite. Nous avons eu de la chance de trouver une place pour oncle Jacques dans cet excellent centre. Votre mère et moi devons partir d'ici deux semaines.

Personne ne dit mot.

— D'autres idées? demande Olivia Hayes au bout d'un moment. Est-ce qu'il y aurait une autre façon de procéder?

— Nous avons une courriériste du cœur dans la famille, dit Isabelle à la blague. Nous devrions peut-être la consulter.

— Nous appelons Abby à la rescousse, la taquine Éva. Donne-nous tes précieux conseils.

— Je ne suis pas si douée que ça pour conseiller, proteste Abby.

Mais elle s'interrompt. Elle n'a pas besoin de révéler aux membres de sa famille qu'elle est la pire courriériste du cœur au monde. De toute façon, même si elle était la meilleure, ils ne la prendraient pas au sérieux. Ils se moqueraient de ses conseils. Autant essayer de faire rire tout le monde.

— Abby à la rescousse suggère...

Elle s'efforce de trouver quelque chose de très drôle, mais elle s'entend plutôt déclarer :

— ...d'inviter Gloria à rester avec nous!

Chapitre 12

Samedi (toujours)

Les grandes pensées viennent du cœur.

—*Marquis de Vauvenargues*
**Calendrier du tonnerre
et des éclairs**

Cette grande pensée au sujet de Gloria est peut-être venue du cœur. Mais elle a très bien pu venir de ma gorge, de mon nez, de mon coude ou du bout de mes doigts.

Quelle importance, d'où elle venait? Je sais où elle est allée! Directement dans la tête et le cœur des membres de ma famille, qui ont acclamé et applaudi ma suggestion.

<u>Nouvelle-éclair! Par votre journaliste-vedette secrète, Abby H.!</u>

(Remarque : Ce n'est PAS pour <u>L'écho de Lancaster</u>! Je suis Abby H., journaliste enquêteuse, chef de rubrique et rédactrice en chef. Je signe également les chroniques humoristique et sportive!)

La brillante suggestion d'Abby H. consistant à demander à la voisine, Gloria, de demeurer avec les enfants Hayes, a été accueillie dans l'enthousiasme général. Après que la famille Hayes a félicité Abby pour son idée géniale, Olivia Hayes a téléphoné à Gloria. Cinq minutes plus tard, celle-ci était chez les Hayes, attablée devant un morceau de pizza maison presque brûlée et un verre de cidre.

Paul Hayes a ouvert la discussion :

— Nous devons quitter la ville pour une semaine afin d'aller régler une affaire de famille urgente. Pourrais-tu rester ici avec les enfants?

Éva et Isabelle Hayes ont immédiatement protesté en affirmant qu'elles n'étaient plus des enfants! Abby Hayes a déclaré qu'elle était presque une adolescente. Alex Hayes a dit qu'il serait également adolescent un jour, même s'il n'était qu'en deuxième année pour l'instant.

— Bon, bon. Voudrais-tu rester avec notre progéniture? a corrigé Paul Hayes.

— Excusez-moi, a dit Éva en se levant. Je suis

en retard pour l'entraînement de basketball. Papa, j'ai besoin d'un chauffeur.

Après cette interruption, la conversation s'est poursuivie. Gloria a indiqué qu'elle voulait bien venir s'installer chez les Hayes. Elle détient un permis de conduire et elle peut accompagner tout le monde aux entraînements, aux répétitions, aux réunions et chez des amis. Elle peut également faire les courses, cuisiner et aider pour les devoirs.

Olivia Hayes a déclaré qu'elle serait payée pour la semaine. Gloria a dit que cette rentrée d'argent imprévue serait bien utile à l'approche des fêtes. Elle désire acheter de la laine teinte à la main pour faire une veste à sa mère et cette laine coûte cher.

Les parents Hayes planifient maintenant leur voyage. Leur progéniture est heureuse. Isabelle aime bien Gloria parce qu'elle a parcouru le monde. Éva l'aime bien aussi parce qu'elle a joué à la balle molle quand elle était au secondaire. Alex l'apprécie également parce qu'elle lui pose des questions au sujet de ses robots. Enfin, Abby aime Gloria parce qu'elle lui a fait cadeau de T-Jeff. (Et pour un tas d'autres raisons!)

Gloria a l'intention d'apporter sa chatte, Guimauve, chez les Hayes pendant son séjour. Guimauve sera réunie avec son fils, T-Jeff! La journaliste-vedette secrète a demandé à l'énergique chaton ce qu'il pensait de tout ça. T-Jeff a répondu en miaulant bruyamment.

Petite nouvelle-éclair

Encore stupéfaite que personne n'ait ri de sa suggestion et ravie de la réaction favorable de sa famille, Abby H. s'installe pour répondre aux questions de son courrier du cœur. Tout à coup, elle prend conscience d'un phénomène étrange. Les questions ne lui paraissent plus aussi difficiles que quelques heures auparavant. Abby ne craint plus de donner de mauvais conseils. Elle n'a plus le sentiment de devoir répondre par « oui », « non » ou « peut-être » à toutes les questions.

— Après tout, dit-elle à T-Jeff, qui vient de sauter sur ses genoux et ronronne de contentement, si mes réponses avaient été si lamentables la première fois, on ne m'aurait pas récrit!

La courriériste du cœur de cinquième année ouvre maintenant la première enveloppe!

« Chère Abby à la rescousse,

Je veux une trottinette, mais mes parents refusent de m'en acheter une. Qu'est-ce que je peux faire?

Ça ne roule pas fort »

Cher ou chère Ça ne roule pas fort,

Je ne peux pas croire que tu m'écris. Est-ce que tu as une tirelire? Sais-tu ramasser les feuilles mortes et pelleter la neige? Peux-tu garder des enfants ou promener un chien? FRANCHEMENT!!!

« Salut Abby,

J'aime ta cronique. Elle est draule.

Devine qui sè »

Mairci, Zak et Méson. À moins que ce soit kelk'un d'ôtre?

« Hé, Abby!

Quelqu'un prend mes desserts dans mon sac à dos! À l'aide!

Sans desserts »

Cher ou chère « Sans desserts »,

Voilà un grave problème, surtout si tu préfères les desserts aux sandwichs. Je crois que tu devrais apporter des desserts fondants et chocolatés à l'école, jusqu'à ce que tu découvres qui a les doigts les plus collants!

« Chère Abby à la rescousse,

Quand je serai grand, je veux devenir un courriériste du cœur tout comme toi!

Edgar Généreux »

Cher Edgar Généreux,

Oui, tu peux devenir courriériste, toi aussi! Il suffit de t'exercer à dire aux gens quoi faire, à trouver des réponses farfelues aux questions farfelues et à résoudre des problèmes personnels. N'importe qui peut le faire!

P.-S. Au moment où tu t'y attendras le moins, on critiquera tes conseils. Par contre, lorsque tu t'attendras à des reproches, on ne t'en fera pas.

Mais ne te tracasse pas! Amuse-toi! Oh, j'oubliais! Évite de suggérer aux gens de manger des sandwichs au beurre d'arachide ou d'utiliser des bouche-oreilles.

Abby relit la question d'Oreilles superécorchées.

« Chère Abby à la rescousse,

J'ai suivi ton conseil à propos des bouche-oreilles. Je n'ai pas entendu autant de cris, mais je n'ai pas non plus entendu mon père et ma mère m'appeler pour le souper ou pour me demander de sortir les ordures ou d'éteindre l'ordinateur. Oh là là! qu'ils étaient furieux! J'ai eu droit à encore plus de cris que d'habitude. Et j'ai aussi perdu le privilège d'utiliser mon ordinateur pour une semaine. Qu'est-ce que je fais maintenant?

Oreilles superécorchées »

Chères Oreilles superécorchées,

« Souris au monde et le monde te sourira ». C'est ce que ma mère dit toujours. Essaie! Personne ne peut se mettre en colère contre toi si tu souris.

« Chère Abby à la rescousse,

À l'aide! J'ai fait des confidences à une amie et maintenant, je suis trop embarrassée pour lui parler.

G. Desregrets »

Chère G. Desregrets,

Je ne vais pas tenter de deviner qui a écrit cette lettre. Même si je sais qui l'a écrite. Tout ce que j'ai à dire c'est : NE T'EN FAIS PAS! Ton amie t'aime toujours!

Abby pose son stylo, puis le reprend pour écrire dans son journal.

Toute petite nouvelle-éclair

Abby H. vient tout juste de terminer sa deuxième chronique d'« Abby à la rescousse »! Épuisée mais heureuse, la courriériste passe sa main sur son front dans un geste de soulagement. Hourra! Elle se lève pour téléphoner à son amie Nathalie afin de l'inviter pour le lendemain.

Si elle a résolu une question complexe pour la famille Hayes, pourquoi ne pourrait-elle pas aider Nathalie aussi? Elle le peut, elle le peut!

Minuscule nouvelle-éclair

Nathalie ne veut pas venir au téléphone. Elle n'a pas envie de parler. Abby H. raccroche, vaincue.

Nouvelle-éclair infiniment petite

Au bout de cinq minutes, Abby H. rappelle. Pourquoi Nathalie refuse-t-elle de lui parler?

Nouvelle-éclair microscopique

Elle téléphone encore une fois. Il faut que Nathalie lui réponde.

Nouvelle-éclair presque invisible

Abby va tenir bon jusqu'à ce que Nathalie lui parle.

Elle appelle encore.

Et encore.

Et encore.

Et encore.

Nouvelle-éclair de la plus haute importance!

Nathalie a décidé de parler à Abby H. Elle se dirige vers le téléphone à l'instant même.

Chapitre 13

Samedi (toujours)

Tout vient à point
à qui sait attendre.

Calendrier des aéroports

Et à qui persiste à appeler. J'ai téléphoné sept fois à Nathalie avant qu'elle accepte de me parler. J'attends maintenant que « tout » vienne à moi.

Abby appuie fortement le combiné contre son oreille. Des bruits de pas ainsi que les voix des membres de la famille de Nathalie lui parviennent.

— Oui, oui, dit Nathalie. J'arrive. Oui!

Elle prend le téléphone.

— Allô?

— Salut, G. Desregrets! lance Abby.

Aussitôt, sa main s'abat sur son front. Elle l'a encore fait! Et si G. Desregrets était Béthanie? Ou Brianna? Ou Rachel? Ou Meghan? Ou même Zach, Tyler ou Mason?

Il y a un court silence à l'autre bout du fil. Soudain, Nathalie pouffe de rire.

Abby soupire de soulagement.

— Je le savais!

— J'espérais que tu devinerais, admet Nathalie.

— C'est vrai? Pourquoi refusais-tu de me parler jusqu'à maintenant? Pourquoi m'as-tu obligée à t'appeler sept fois?

— Je me sentais ridicule. Et mal à l'aise. Et...

Nathalie s'interrompt.

— Je ne sais pas!

— Tu n'es pas ridicule! proteste Abby.

— Oui, je le suis!

— Non, tu ne l'es pas.

— Je le suis!

— Nathalie! s'écrie Abby. Ce n'est pas vrai!

Nathalie ne répond pas.

Abby cherche désespérément la meilleure façon de réconforter son amie. Devrait-elle commencer par la rassurer en lui disant que ses camarades l'adorent? Devrait-elle la complimenter pour ses talents? Lui dire de faire confiance à ses amis? Les mots se bousculent dans sa tête.

Finalement, tout ce qu'elle arrive à dire, c'est :

— Es-tu en colère contre moi?

— Non, marmonne Nathalie. Je suis désolée d'avoir été plutôt... euh...

Sa voix traîne.

— C'est juste que...

Abby attend.

— Jessica et toi, vous êtes tellement douées pour tout! lâche-t-elle. Ce n'est pas facile d'être votre amie!

— Tu parles sérieusement?

— Tu n'as donc pas remarqué que toute la classe adore ton courrier du cœur? s'écrie Nathalie. Tout le monde à part Brianna lit et relit ta chronique je ne sais combien de fois.

— Et alors?

Abby se tortille, mal à l'aise.

— Ce n'est qu'une chronique, finit-elle par dire. Et j'ai fait beaucoup d'erreurs! De terribles erreurs.

— Personne ne s'en est aperçu, dit Nathalie. Ils l'ont tous aimée quand même! Tout le monde raffole toujours de ce que tu écris! Et tout le monde est en admiration devant les dessins et le travail de mise en pages de Jessica!

— Mais tu... tu... bafouille Abby.

— Je ne fais qu'appuyer sur le bouton d'un appareil photo et je m'attire des ennuis avec M. Raphaël, dit Nathalie. Ce n'est pas difficile.

— Ce n'est pas vrai! proteste Abby. Tu fais des expériences de chimie, tu lis beaucoup, tu...

Nathalie lui coupe la parole.

— Arrête, Abby.

— Mais songe à tout ce que tu fais! s'indigne Abby.

— Pourquoi? demande Nathalie. Je me sentirai encore

plus misérable ensuite.

— Ce n'est pas possible! C'est une situation tellement absurde.

— Absurde? répète Nathalie lentement. Je suis absurde, en plus?

— Ce n'est pas ce que j'ai voulu dire! s'écrie Abby.

C'est l'une des conversations les plus frustrantes qu'elle ait jamais eues. Tout ce qu'elle dit semble être déformé. Et elle ignore comment s'y prendre pour reformuler sa pensée.

— Je vois bien que tu essaies d'être gentille avec moi, reconnaît Nathalie.

— Non, ce n'est pas vrai! nie Abby. Je te dis la vérité!

Nathalie reste muette.

Il n'y a rien d'autre à ajouter.

Abby dit au revoir à Nathalie et raccroche. Elle jette un regard sur le calendrier des aéroports et sur la citation du jour.

— Tout vient à point à qui sait attendre.

Elle prend son journal et commence à écrire.

Cette citation ne précisait pas si ce « tout » qui vient à qui sait attendre est réjouissant ou pas.

<u>Choses réjouissantes qui me sont arrivées</u>

1. Nathalie me parle de nouveau.

2. Nathalie m'a raconté ce qui la tourmentait.

3. Nathalie m'a fait plusieurs compliments au sujet de ma chronique.

<u>Faits moins réjouissants que j'ai constatés</u>

1. Nathalie ne croit pas être douée pour quoi que ce soit.

2. Nathalie refuse de m'écouter quand j'essaie de lui dire qu'elle l'est.

3. Nathalie est toujours « Découragée »!

P.-S. Moi aussi, je suis découragée. Je suis incapable d'aider mon amie. Qu'est-ce que je peux faire?

P.P.-S. Je n'ai pas eu à attendre pour trouver la solution au problème de mes parents! Pourquoi dois-je attendre pour trouver la solution à celui de Nathalie?

Chapitre 14

Jeudi

Avec le nouveau jour naissent une force et des pensées nouvelles.
Eleanor Roosevelt
Calendrier des levers de soleil

La force et les pensées nouvelles ne sont pas venues avec le nouveau jour. Elles ne se sont pas manifestées avant le milieu de la matinée.

<u>Nouvelle-éclair! Abby H. a une idée géniale durant le cours de Mme Élizabeth!</u>

Jeudi matin, la courriériste de cinquième année a été frappée par l'idée du siècle. Tout a commencé innocemment. Le deuxième numéro de <u>L'écho de Lancaster</u> venait juste de paraître. Mme Élizabeth a demandé aux élèves de lancer des idées en vue d'un troisième numéro.

Meghan a levé la main et a dit qu'elle voulait rédiger un article portant sur l'atelier de théâtre qui se déroulerait la semaine suivante. Béthanie a demandé si elle pouvait écrire sur le refuge municipal pour animaux. Zach projette de faire la caricature des membres du personnel de l'école. Rachel a déclaré qu'elle allait laisser tomber les blagues « Toc, toc! » pour se consacrer à celles ayant pour thème le remplacement d'une ampoule électrique.

Seule Abby H. est demeurée silencieuse. En tant que courriériste, elle n'a pas à songer à de nouvelles idées. Tout ce qu'elle a à faire, c'est répondre aux questions qui ont été déposées dans la boîte aux lettres d'« Abby à la rescousse ». Quand elle a regardé plus tôt ce matin, il y avait douze nouvelles questions!

Brianna s'est levée. L'élève de cinquième année qui a le plus de chances de devenir présentatrice à la télévision a annoncé qu'elle interviewerait l'enseignante de musique pour sa prochaine chronique de « Conversations avec Brianna ». Lisant son texte sur un bout de papier, Brianna a ajouté qu'elle avait l'intention d'écrire une chanson pour rendre hommage à l'enseignante.

Mme Doris a approuvé cette idée.

— C'est important de mettre nos enseignants en vedette.

C'est à cet instant-là qu'Abby H. a eu son idée de génie. Elle lui est tombée dessus comme une soudaine bourrasque de neige. De nouvelles pensées tourbillonnaient furieusement dans son esprit.

Sa main est montée en flèche.

— Oui, Abby? a dit Mme Élizabeth.

— J'aimerais écrire une chronique qui s'appellerait « L'élève en vedette », a proposé Abby H. Est-ce que les élèves ne sont pas aussi importants que les enseignants?

— Bonne idée! a déclaré Mason, qui a ensuite émis trois rots en signe d'approbation.

Zach a fait voler un avion de papier sur le pupitre d'Abby.

Les filles ont applaudi.

Mme Élizabeth a tapé dans ses mains pour demander l'attention.

— Excellente idée, Abby. Mais pourras-tu faire « L'élève en vedette » et « Abby à la rescousse »? Nous ne voulons pas que tu laisses tomber ton courrier du cœur!

Abby H. a accepté de rédiger deux chroniques pour L'écho de Lancaster. (Après tout, écrire est sa passion! Ce sera comme avoir deux desserts au souper.)

– De qui feras-tu le portrait? a alors demandé Mme Doris.

Brianna a rejeté ses longs cheveux par-dessus son épaule.

– Je suis la candidate idéale, c'est évident, a-t-elle dit.

– Ouais, Brianna! a approuvé Béthanie en toute loyauté.

– Interviewe le grand Mason! a hurlé Mason.

– Moi! Écris sur moi! se sont écriés d'autres élèves en agitant la main pour retenir l'attention d'Abby. Mais Abby H. savait déjà de qui elle dresserait le portrait. Nathalie serait la première « Élève en vedette ». Et Abby garderait le secret jusqu'à la parution du journal.

Assise à son pupitre, Abby prend une nouvelle feuille de papier. Tout le monde connaîtra mieux Nathalie grâce à son article, décide-t-elle. Et par la même occasion, Nathalie réalisera qui elle est vraiment. Elle ne pourra plus nier qu'elle possède toutes ces qualités quand elles seront énumérées dans *L'écho de Lancaster* et que toute la classe pourra les lire.

Abby va signer le meilleur article qu'elle ait jamais écrit de toute sa vie.

L'élève en vedette : Nathalie

Nathalie est une nouvelle élève à notre école.
Elle a de nombreux talents et habiletés. Par exemple,
saviez-vous qu'elle lit un livre par

Abby s'arrête au beau milieu de la phrase. Ce n'est tout
simplement pas assez accrocheur. Elle fixe ce qu'elle a écrit
et déchire ensuite la feuille.

Question : Qui s'adonne à
des expériences de chimie, lit des
romans à énigme et peut incarner
n'importe quel personnage?

Réponse : Son prénom
commence par « N » et
se termine par « E ».

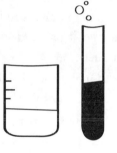

Est-ce que ce ne sont pas les mêmes paroles qu'elle répète
à Nathalie depuis quelques jours? Si elles ne l'ont pas
convaincue jusqu'à présent, la convaincront-elles maintenant?
En revanche, le concept de question et réponse est une bonne
idée. Abby plie son deuxième essai et le met dans sa reliure.

Nathalie est une personne au tempérament très
calme et aux nombreux talents. Elle ne se vante
jamais et parle peu d'elle-même. Si vous avez la

*chance de la connaître, elle vous étonnera toujours.
Elle réussit tout ce qu'elle entreprend, mais elle
n'aime pas les sports.*

C'est déjà beaucoup mieux, mais Abby n'est pas encore
satisfaite. Il manque un petit quelque chose, mais elle ne
saurait dire quoi. Comment va-t-elle le trouver? Nathalie
ne doit pas ignorer ses compliments encore une fois.

Elle essaie de se rappeler comment lui est venue l'idée
géniale pour résoudre le problème de sa famille. Elle n'y
songeait pas du tout. Les mots sont simplement sortis de sa
bouche.

Quel est le problème? Est-ce qu'elle essaie trop? Peut-être
qu'elle a besoin de prendre une pause.

Abby se tourne vers Jessica, perplexe.

— Qu'est-ce que tu écrirais sur Nathalie dans « L'élève
en vedette »? Et ne lui dis rien, s'empresse-t-elle d'ajouter.
Je veux lui faire une surprise.

Jessica réfléchit pendant un moment.

— Je suis très contente qu'elle se soit installée dans notre
quartier. J'admire son imagination débordante.

Abby griffonne ce que lui a dit Jessica.

— Super! dit-elle. Je vais te citer dans ma chronique.

— Citer? répète Brianna. Quelqu'un veut une citation?

— Chut! fait Abby pour la mettre en garde.

Rapidement, elle parcourt la classe des yeux. Nathalie est
à l'avant de la pièce, occupée à mettre au point son appareil

photo.

— Je demandais seulement à Jessica ce qu'elle dirait de Nathalie pour ma chronique « L'élève en vedette », dit Abby à voix basse.

— C'est moi que tu aurais dû mettre en vedette, dit Brianna. Mais je suis trop occupée. Nathalie représente un bon deuxième choix.

— Ouais, Brianna! approuve Béthanie. J'ai de bien belles choses à dire au sujet de Nathalie, ajoute-t-elle.

— C'est vrai? demande Abby en prenant une autre feuille. Dis-moi tout.

— Qu'est-ce qui se passe ici? interrompt Mason.

— Chut! fait Jessica. Abby nous demande de faire des commentaires sur Nathalie pour « L'élève en vedette ». C'est une surprise.

Mason laisse échapper un rot.

— Je peux te dire plein de choses à propos de Nathalie.

— Fantastique! s'exclame Abby.

Tout à coup, elle sait exactement ce qu'elle doit faire. Elle va interroger toute la classe. Elle ajoutera les idées de chacun aux siennes. Cela donnera un article que même Nathalie ne pourra pas ignorer.

Chapitre 15

Jeudi (deux semaines plus tard)

L'union fait la force.

Le calendrier de l'alphabet

Nombre d'élèves de la classe de Mme Doris qui ont contribué à « L'élève en vedette » : 25

Nombre d'enseignants qui ont participé : 5

Nombre de compliments que Nathalie a reçus : 72

Nombre de regards soupçonneux que m'a adressés Nathalie : 0 (ha! ha! ha! ha! ha!)

Le troisième numéro de L'écho de Lancaster sera publié aujourd'hui. Je suis plus nerveuse à propos de « L'élève en vedette » que du courrier du cœur. Heureusement, l'union fait la force! Si toute la classe et tous les enseignants (même M. Raphaël) apprécient Nathalie, elle ne pourra plus dire encore :

« Arrête, Abby ». Si 31 personnes ont quelque chose de positif à dire sur elle, elle devra écouter. N'est-ce pas?

Ne quittez pas! Restez à l'écoute! Votre courriériste, portraitiste et journaliste-vedette secrète de cinquième année vous rapportera tous les faits nouveaux à mesure qu'ils se produiront!

10 h 7 Nous imprimons les premiers exemplaires de L'écho de Lancaster. Jessica me souffle que « L'élève en vedette » fait la une, à côté de « Conversations avec Brianna »!

10 h 12 Jessica me remet l'un des premiers exemplaires du journal. « L'élève en vedette » paraît encore plus officiel une fois imprimé. Je relis les commentaires de tout le monde au sujet de Nathalie.

Mason a dit : Ses idées sont aussi bonnes que celles des garçons! Parfois, elles sont meilleures!

Béthanie a dit : J'ai adoré quand elle a pris les photos de Blondie et moi. Elle sait vraiment tirer le meilleur d'un hamster.

Brianna a dit : Elle est presque aussi bonne actrice que moi.

Zach a dit : J'aime son sens de l'humour.

Mme Élizabeth a dit : Nathalie est une élève à l'imagination très fertile.

M. Raphaël a dit : Je crois qu'il y aura une amélioration constante de sa part dans le cours d'arts.

Tout le monde a eu un mot gentil à l'égard de Nathalie.

10 h 17 Nathalie photographie les élèves en train de lire L'écho de Lancaster. Elle n'y a toujours pas jeté un coup d'œil.

10 h 29 Mme Élizabeth remet à Nathalie un exemplaire du journal.

– Je crois que ça te plaira, dit-elle.

Elle m'adresse un sourire.

10 h 30 J'ai un trac fou.

(Question : Pourquoi fou? Pourquoi pas dingue? Ou timbré? Ou cinglé?)

Bon, j'ai un trac indescriptible. Et si ça continue, je vais devenir dingue, timbrée, cinglée! Je n'en peux plus!

10 h 31 Nathalie rougit. Elle secoue la tête. Elle me considère pendant un instant avant de reporter son regard sur le journal.

10 h 32 Elle poursuit sa lecture. Son visage est toujours écarlate. Elle n'arrête pas de secouer la tête.

10 h 36 Elle termine l'article. Elle regarde droit devant elle. Ses yeux sont vitreux. Elle semble stupéfaite.

Béthanie s'approche et la serre dans ses bras.

– Tout est vrai! dit-elle à Nathalie. Du début jusqu'à la fin!

(Note à moi-même : Ne plus jamais me plaindre des histoires de rongeurs de Béthanie! Faire semblant d'être fascinée par les aventures des hamsters! Sourire quand Béthanie dit « Ouais, Brianna! » pour la millionième fois.)

10 h 41 De nombreux élèves félicitent Nathalie. Elle sourit maintenant. Ses yeux pétillent. Elle est assise bien droite sur sa chaise. Je lui adresse un signe de la main. Elle fait de même et dit « Merci » en remuant les lèvres silencieusement.

10 h 58 Nathalie parvient à se dégager du groupe d'élèves qui l'entourent. Elle vient vers moi.

– Je ne savais pas que tant de gens m'aimaient, dit-elle avec étonnement. Ils m'apprécient vraiment, n'est-ce pas? Même M. Raphaël.

Je fais oui de la tête.

Elle serre le journal contre son cœur.

– Je ne l'oublierai jamais, Abby. C'est la chose la plus gentille qu'on ait jamais faite pour moi.

Hourra! Hourra! Hourra! C'est un succès! Je fais une gigue au milieu de la classe de cinquième année! Je descends à la cafétéria en gambadant! Je sautille sur un pied en allant dans la cour de récréation!

Les écrits restent et font plaisir!

Que devrait faire Abby à la rescousse maintenant? S'attaquer à un numéro sur la paix dans le monde? Apaiser la douleur de l'humanité souffrante? Résoudre un problème gratuitement à l'envoi de deux lettres au courrier du cœur? (Ça ne marchera pas. C'est toujours gratuit!)

Tout est possible.

Oups! une autre lettre venant d'Oreilles écorchées dans ma boîte aux lettres! Ses parents se sont mis en colère en voyant qu'il souriait quand ils criaient! Il a besoin d'autres conseils!

Oh non! Qu'est-ce que je dis maintenant?

Peut-être que je lui dirai de ne pas prendre les conseils d'« Abby à la rescousse » trop au sérieux. Je n'ai que 10 ans. Je ne suis pas censée tout savoir.

Mais je sais faire certaines choses.

Comme songer à demander à Gloria de s'installer à la maison pendant que mes parents aident grand-oncle Jacques. Ou trouver un moyen de faire comprendre à Nathalie que ses amis l'apprécient.

Hourra! Hourra! Le monde est à moi!

(Et pourquoi pas à eux? À nous? À toutes les créatures de l'univers? À... Bon, oublions ça!)

Lisez tous mes livres!